kids.dongascience.com

2009 10/15 CONTENTS no.20

• 2009년 10월 15일 발행. 6권 20호 통권 122호. 2004년 10월 1일 창간. 등록 2004년 9월 20일 문화 다06728
• 펴낸곳 | 서울시 서대문구 충정로3가 139 우편번호 120-715 동아사이언스

구독 • 배송문의 | (02)6749-2002 내용 문의 | 편집실 (02)3148-0825~26 팩스 | (02)3148-0809 홈페이지 | kids.dongascience.com

■ 발행인 • 편집인 김두희
■ 이사 허두영
■ 인쇄인 양철우

■ 주니어본부
본부장 이억주
어린이과학동아팀 편집장 고선아
기자 김맑아, 윤신영, 성나해, 이화영
수학동아팀 편집장 이억주
기자 고호관, 이재웅, 이언경, 조가현
출판팀 팀장 정영훈
과장 유다형 기자 임순지, 서영표, 김진덕

■ 미디어본부
과학동아팀 편집장 이충환
수석기자 강석기
기자 이정호, 이준덕, 이정아, 김윤미, 이영혜
더사이언스팀 편집장 김상연
기자 박근태, 이현경, 전승민, 전동혁, 변태섭

■ 디자인센터
센터장 김인규
수석디자이너 채홍석
디자이너 최은영, 유한진, 이한철,
오진희, 최은경, 황은지

■ 웹콘텐츠팀
팀장 이현
과장 박응서 대리 김경우 사원 이진우, 박태진

■ 기술지원팀
팀장 김성현
대리 최광효, 오승민 사원 우정흔

■ 과학교육연구센터
교재개발팀 팀장 김원섭
기자 현수랑, 박은진, 김은영, 김현정
시앙스몰팀 팀장 김정훈
디자이너 박병규 대리 권태규
사원 주정선, 김지혜, 김수경

■ 마케팅본부
본부장 이경민
통합마케팅팀
과장 이윤배 대리 김택원, 정대희
사원 이성우, 장예원
출판유통사업팀 팀장 최승욱
과장 김재필 대리 변유경, 김창호
마케팅관리팀 팀장 심재윤
대리 윤승선 사원 장윤성, 지윤경

■ 문화사업팀
팀장 곽수진
과장 이득재 사원 이영미, 엄지현, 선우용, 최은희

■ 지니움(동아사이언스 영재교육원)
원장 서예원
교사 정진선, 서혜영, 유지혜,
최종민, 이미영, 신인순, 손민정

■ 경영관리팀
팀장 이창수
대리 이정아 사원 박주현, 최아영

광고팀 (02)3148-0860
CTP (주)교학사
스캔 출력 유림기획

어린이 과학동아

정기구독 신청

● **정기구독료 1년** 10.7% 할인 (₩168,000 ➡ **₩150,000**)

● **정가 권당** 7,000원

국내 정기구독자께는 별도의 사은품을 드립니다. 해외구독료는 책값의 20%를 할인한 금액에 항공우편료가 포함된 금액이며 사은품은 제외됩니다.

● **패키지 정기구독료**

Ⓐ 수학동아 + 과학동아 = ₩200,000
Ⓑ 수학동아 + 어린이과학동아 = ₩234,000
Ⓒ 수학동아 + 어린이과학동아 + 과학동아 = ₩342,000

● **정기구독 신청**

1. 인터넷(www.dongaScience.com)에 접속하셔서 신청하시면 됩니다.
2. 아래의 동아사이언스 본사 및 동아일보 지사를 통해 신청하실 수 있습니다.

본사(전국) (02)6749-2002

● **정기구독자 특전**

1. 정기구독자 특별사은품 증정 – 호기심 과학백과, 생생쏙도감 별자리편, 개념 잡는 초등수학사전 중 택1.(올해 12월 31일까지 신규 및 연장 정기구독자께는 '1등도 모르는 최강! 공부 비법' 추가 증정.)
2. www.dongaScience.com의 모든 유료 콘텐츠를 무료로 이용 가능.

특별 할인 이벤트

어린이과학동아 정기구독자는 **수학동아를 20% 할인된 가격**으로 정기구독 하실 수 있습니다.(2009년 12월 31일까지)

₩108,000 ➡ **₩87,000**

● **해외구독 신청**

본사 마케팅관리팀 (02)3148-0874, FAX (02)3148-0809,
담당자 jangyoun@donga.com으로 문의 바랍니다.

● **해외구독료(책값 및 우송료)**

항공편 1년	**1지역** – 일본(오키나와), 중국, 대만, 홍콩, 마카오	244,800원
	2지역 – 동남아시아	276,000원
	3지역 – 북미, 유럽, 서남아시아, 호주, 뉴질랜드	310,800원
	4지역 – 중남미, 아프리카, 남태평양	394,800원

※국외 입금 계좌 : 국민은행 870301-04-000091 (주)동아사이언스

● **신청/문의 (02)6749-2002, Kids.dongascience.com**

서울 경기 인천 강원(02)721-7800, 부산 울산 경남(051)463-7851~5,
대구 경북(053)253-7663~4, 광주 전남(062)676-6116, 전북(063)253-3996,
대전 충남(042)253-0008, 충북(043)254-2911, 제주(064)757-1995

※지사로 구독 신청하신 경우는 각 지사로 문의해 주세요.

▲ 정기구독자 특별사은품으로 생생쏙도감 별자리편, 호기심 과학백과, 개념 잡는 초등수학사전 중 하나를 선택할 수 있습니다.

세계가 인정한 어린이과학동아

별책부록도 특별하다!

"급히 샀어여~ 부록 때메 사 모으고 있는 중^^;;" - moon035

"부록 완전 맘에 들어여.^^" - streetlove76

"아이가 너무 재미있어 하고 좋아해서 구입했어요. 특히 과학뒤집기는 맘에 쏙 듭니다." - hyj2527

"아이들이 기다리는 책 도착하는 즉시 요지부동 앉아서 읽는 책입니다.
개인적으로 부록으로 오는 초등 과학뒤집기 너무 좋아요." - moonsunglgee

'어린이과학동아'는 2008년 1월 1일자부터 별책부록으로 '선생님도 놀란 초등 과학뒤집기'를 매호마다 제공해 왔습니다. '어린이과학동아'에서는 어머니들의 끝없는 찬사에 힘입어 '선생님도 놀란 초등 과학뒤집기' 별책부록을 2009년까지 제공하기로 하였습니다. '선생님도 놀란 초등 과학뒤집기'는 동아사이언스와 와이즈만 영재교육연구소, 도서출판 성우가 공동으로 기획 발간하는 과학 학습서입니다. '어린이과학동아' 본책으로는 과학에 대한 흥미를, 별책부록으로는 과학 실력을 길러 보시기 바랍니다. 2009년에도 '선생님도 놀란 초등 과학뒤집기'와 함께해요!

2009년 10월 15일자 별책부록 주제

교통의 과학

"엄마, 이번 추석에 기차를 타고 시골 할아버지댁에 다녀오면서 궁금한 게 하나 생겼어요."

"뭔데 그러니 겨운아?"

"자동차나 비행기에는 의자에 안전벨트가 있잖아요. 그런데 왜 기차에는 안전벨트가 없어요?"

"그건 기차가 일반 도로가 아닌 정해진 철길로만 다녀서, 자신보다 질량이 큰 물체와 충돌할 확률이 아주 낮기 때문이야."

"아하! 그렇구나~. 그런데 엄마, 기차를 공중으로 띄워 마찰력을 줄인다면 더 빠른 속도를 낼 수도 있을 것 같아요."

"그 원리를 이용한 게 자기부상열차란다. 또 호버크라프트나 수중익선도 공중으로 띄워 마찰력을 줄이는 원리를 이용하지."

"와! 호버크라프트를 타고 학교를 간다면 정말 신날 것 같아요!"

"하하~. 정말 멋진 생각이구나. 어때? 기차를 비롯한 교통 수단이 과거에서 현재를 거쳐 미래에 어떻게 바뀔지 궁금하지? 어서 가서 초등과학뒤집기 '교통의 과학'편을 읽어 보렴."

과학의 기초를 다진 학생을 위한 실용과학학습서의 결정체

어려운 과학은 단계별 [선생님도 놀란 과학 뒤집기] 시리즈로 쉽게 해결하세요!

〈초 · 과 · 뒤〉를 읽었다면, 다음은 심화 · 응용 단계인 〈과학뒤집기〉 !

선생님도 놀란 과학뒤집기는 초등과학 뒤집기의 내용에 깊이와 넓이를 더한 심층 과학 학습도서입니다.
초과뒤로 기초를 다진 초등학교 고학년에서 중, 고등학생에 이르기까지
과학의 깊이와 넓이를 더하는데 가장 적합한 과학뒤집기는 과학고와 대학입시까지 완벽하게 활용할 수 있습니다.

- 2001 과학기술부 인증 우수과학도서
- 2005 서울시 교육청 추천도서
- 2002~2009 전국학생과학논술대회 지정도서
- 2006~2009 와이즈만 영재교육 추천도서
- 2006~2008 한국생명과학연구소 추천도서
- 2007 박한천 논술연구소 과학논술 교재
- 서울교육대학교 과학영재교육원 추천도서
- 강원대학교 과학영재교육원 추천도서
- 경남대학교 과학영재교육원 추천도서
- 군산대학교 과학영재교육원 추천도서
- 인천대학교 과학영재교육원 추천도서
- 전북대학교 과학영재교육원 추천도서

· 본책 4 · 6배판 | 각 권 190쪽 내외 | 전 24권 | 각 권 12,000원

쪽집게 논 · 구술 가이드 24권

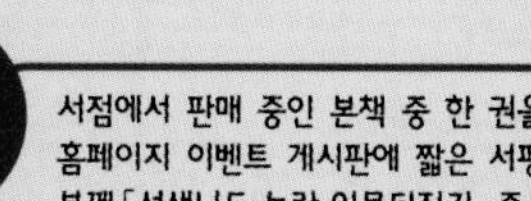

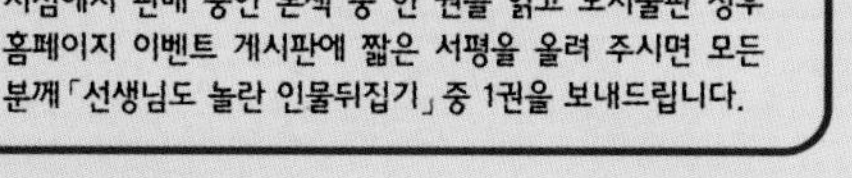

주제에 따라
단계별로 연계되는
뒤집기시리즈의
Level-up 시스템!

Level-up!
〈초 · 과 · 뒤〉의 다음 단계는?

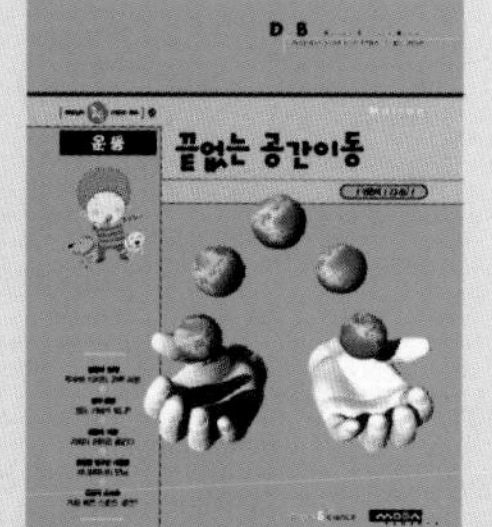

⑳ |운동| 끝없는 공간이동

1. 드디어 빛이 보인다!
2. 달콤한 물을 마시다!
3. 신선한 대기를 느끼다!
4. |소리| 공기의 질주?
5. |소화| 위대한 드라마
6. |원소| 만물의 아이콘
7. |식물| 그린의 마술사
8. |우주| 광년의 시네마
9. |동물행동| 본능의 좌충우돌
10. |화석| 생명의 조각퍼즐
11. |열| 따뜻한 메시지
12. |미생물| 작은 세상의 반란
13. |화학반응| 매끄러운 충돌
14. |별| 불사조의 윙크
15. |화합물| 뒤섞인 하모니
16. |바다| 시끄러운 침묵
17. |전자기| 맥스웰의 스파크
18. |뇌| 춤추는 미로
19. |땅| 가이아의 갑옷
20. |운동| 끝없는 공간이동
21. |생명| 풀리지 않는 코드
22. |중력| 슈퍼맨의 비밀
23. |인체| 부드러운 톱니바퀴
24. |양자| 확률의 도깨비

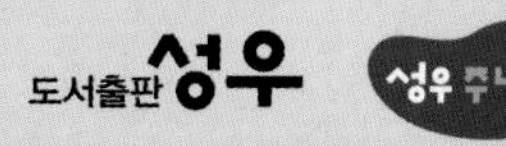

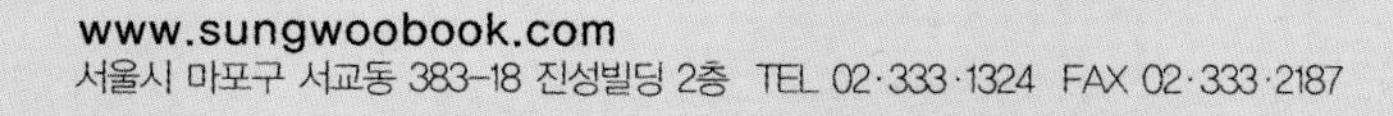

화보

알쏭달쏭~

현미경 속 작은 세상

자~, 지금부터 눈을 크게 떠 주세요. 즐거운 퀴즈 시간이에요. 이제부터 차례차례 사진을 보게 될 거예요. 과연 무엇을 찍은 사진일까요? 힌트는 아주 작은 세상의 모습이라는 거예요. 그러니 눈을 크게 뜨고 사진을 잘 관찰해 보세요. 단, 제목에 속지 말 것!
자, 준비 됐죠? 그럼 첫 번째 퀴즈 장소로 이동하겠습니다. 예쁜 식물과 정자가 있는 비밀의 정원으로 출발~!

글 • 윤신영 기자
사진 • 제6회 바이오현미경사진전

민들레 꽃밭

김지영 | 대상

민들레꽃이 활짝 피었어요! '결장'이라고 하는 몸 속 기관을 잘라 현미경으로 200배 확대한 사진이에요. 꽃처럼 노랗게 염색된 부분이 창자샘으로, 큰 창자 안에서 보호막 역할을 하는 액체를 내보낸답니다.

호박과 수박▲

이극희 | 바이오기술상

참기름을 만드는 식물은? 바로 참깨! 그 참깨의 꽃가루를 400배 확대해 찍은 전자현미경 사진이에요. 참깨의 꽃가루는 작고 둥근 모양이지만 겉에 줄무늬가 나 있지요. 줄무늬에 따라 파랗게, 또는 노랗게 염색을 했더니 꼭 수박과 호박을 모아 놓은 것 같아요.

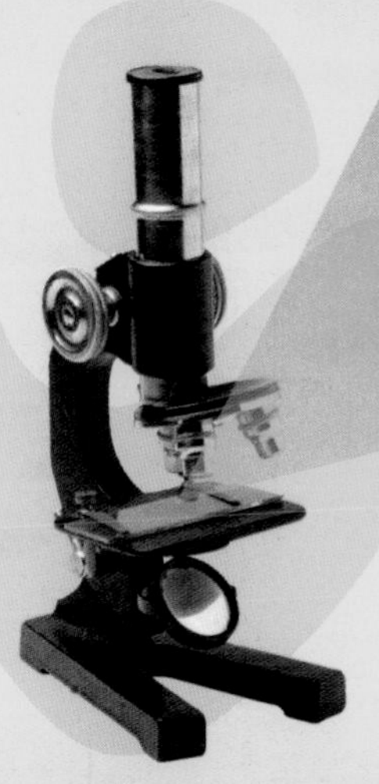

단청막새▲

김수진 | 고등부 입선

가까운 궁궐이나 정자에 가면 볼 수 있는 예쁜 단청 무늬를 현미경 속에서 발견했어요! 우리나라에 널리 퍼져 있는 전나무는 잎이 바늘처럼 생겼어요. 그 잎을 가로로 잘라 보면 가운데에는 물과 영양분이 지나다니는 잎맥이, 가장자리에는 공기가 드나드는 기공이 있어요. 전자현미경으로 80배 확대한 뒤 염색을 하니 단청처럼 보여요.

여기는 신기한 동물원!

비밀의 정원에서 즐거운 시간을 보냈나요? 그럼 두 번째 장소로 이동할게요. 이번에는 여러 가지 동물이 사는 동물원으로 갈 거예요. 동물들이 짓는 재미있는 표정을 잘 보세요!

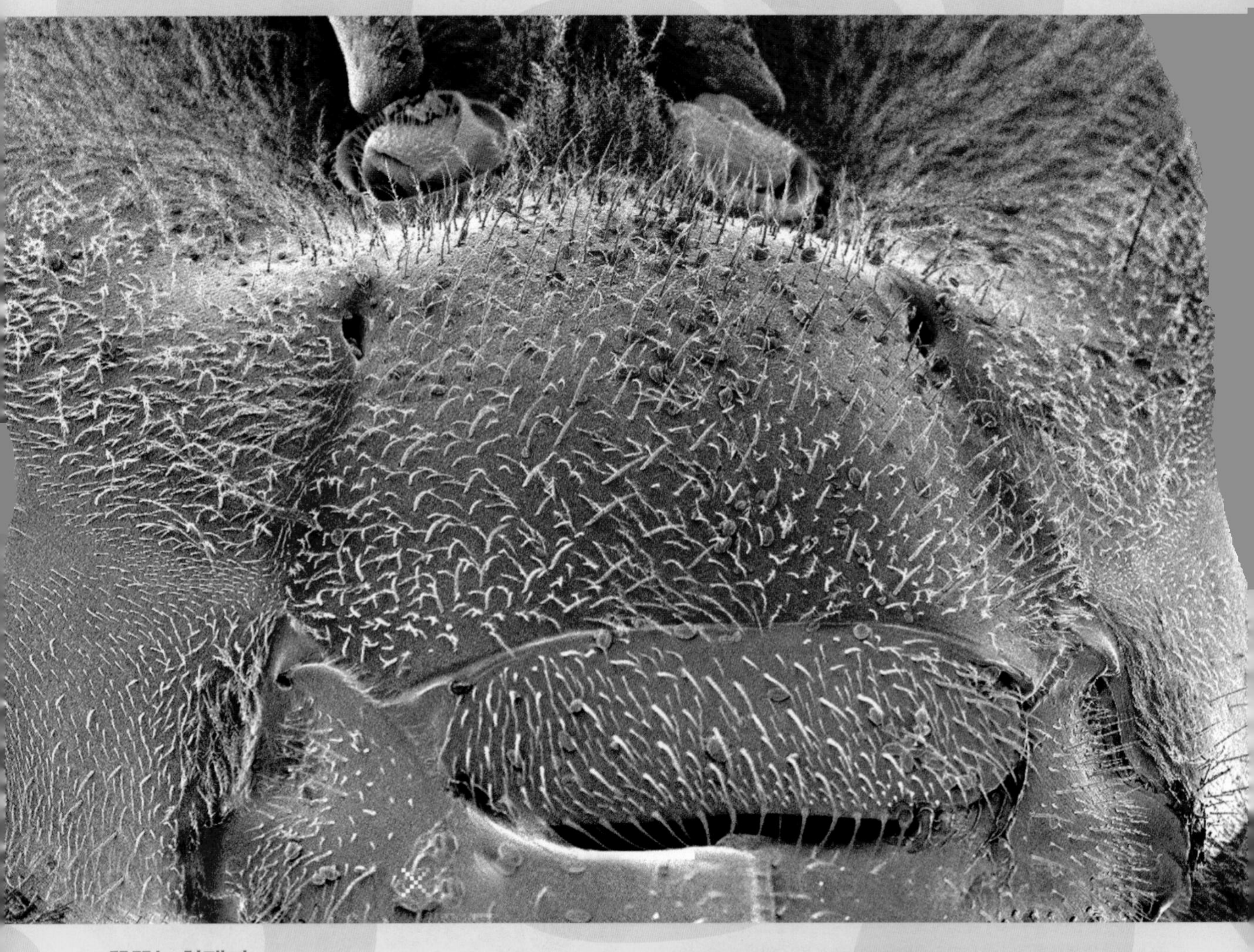

꿈꾸는 침팬지▲

박중원 | 일반부 입선

느긋하게 웃고 있는 침팬지나 일본원숭이처럼 보이지만, 사실은 꿀벌의 머리 부분이랍니다. 몸통에 알코올을 넣고 금 이온으로 코팅한 뒤, 전자현미경으로 관찰한 모습이지요. 더듬이와 입 부분을 보라색으로 칠했더니 정말 꿈꾸는 침팬지 얼굴 같아 보여요.

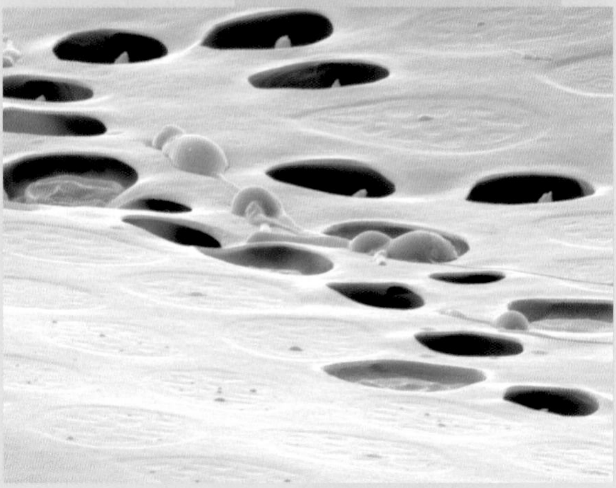

마우스 가족▶

박지수 | 초중등부 바이오문화상

보일락~, 말락~! 눈 덮인 산에 쥐 가족이 나타났어요! 엄마 쥐가 앞장서고 아기 쥐들이 따라가고 있는 것 같네요. 눈처럼 보이는 부분은 사실 풍뎅이의 더듬이에요. 전자현미경으로 2000배 확대하자 이렇게 평평한 눈밭으로 나타났지요. 쥐처럼 보이는 부분은 더듬이에 붙은 이물질이에요.

못 보던 코끼리인데….
넌 어느 별에서 왔니?

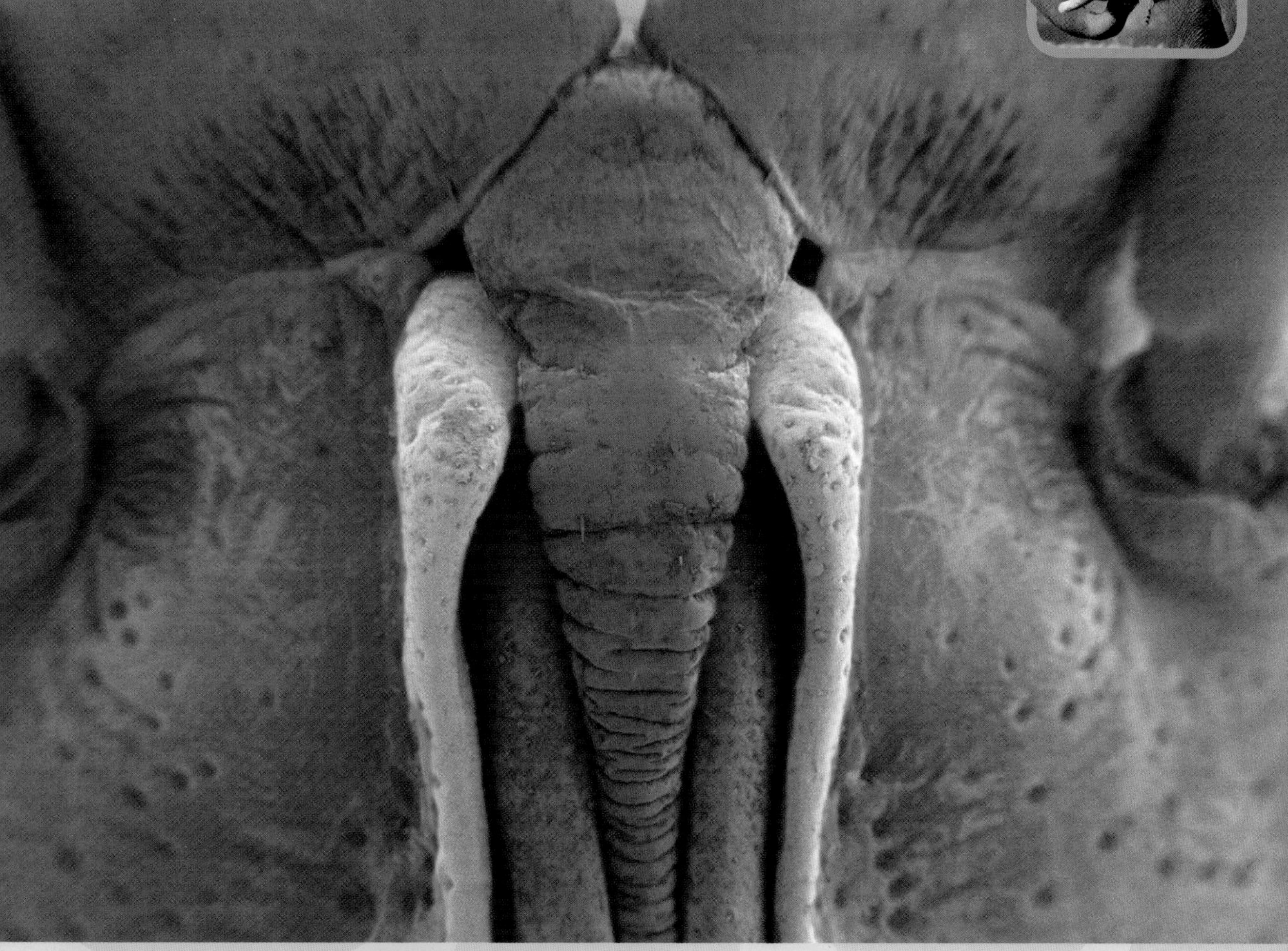

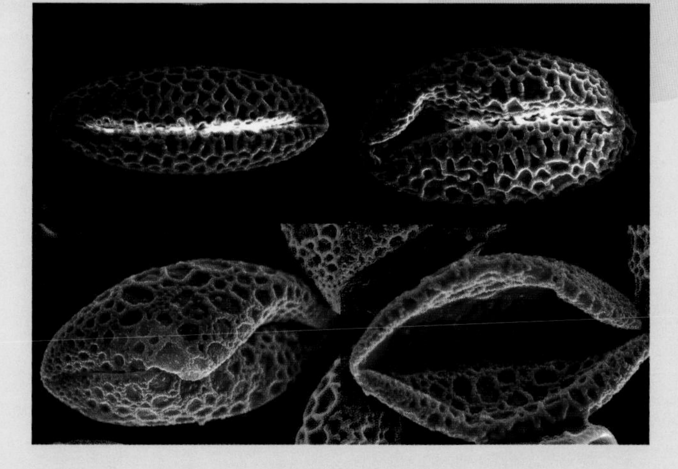

▲코끼리

한정민 | 일반부 입선

아프리카 코끼리일까요, 인도 코끼리일까요? 안타깝지만 둘 다 틀렸어요. 이 사진은 요즘 우리나라에서 문제가 되고 있는 '꽃매미'를 전자현미경으로 40배 확대해 찍은 사진이에요. 배 부분이 위로 가게 눕힌 다음 머리와 입을 찍었지요. 코끼리의 코처럼 보이는 부분이 바로 나무의 즙을 빨아 먹는 대롱이랍니다.

◀웃음 참기

신윤섭 | 고등부 바이오예술상

빨간 입술이 참고 참고 또 참다가 결국 파하하~! 하고 웃음을 터뜨렸어요! 그런데 이건 어떤 동물일까요? 사실은 동물이 아니라 식물의 꽃가루를 전자현미경으로 1940배~3730배 확대한 사진이랍니다. 위의 두 사진은 참나리, 아래 두 사진은 골잎원추리의 꽃가루예요.

아름다운 자연 속으로~

퀴즈 현장에는 예쁜 식물과 재미있는 동물만 있는 게 아니에요. 크고 웅장한 풍경과 아름다운 자연을 찍은 사진도 있지요. 그런데 자세히 보면 역시 자연을 찍은 보통 사진이 아니라는 걸 알 수 있을 거예요. 자, 마지막 퀴즈 장소입니다. 다시 한번 눈을 크게 떠 보세요!

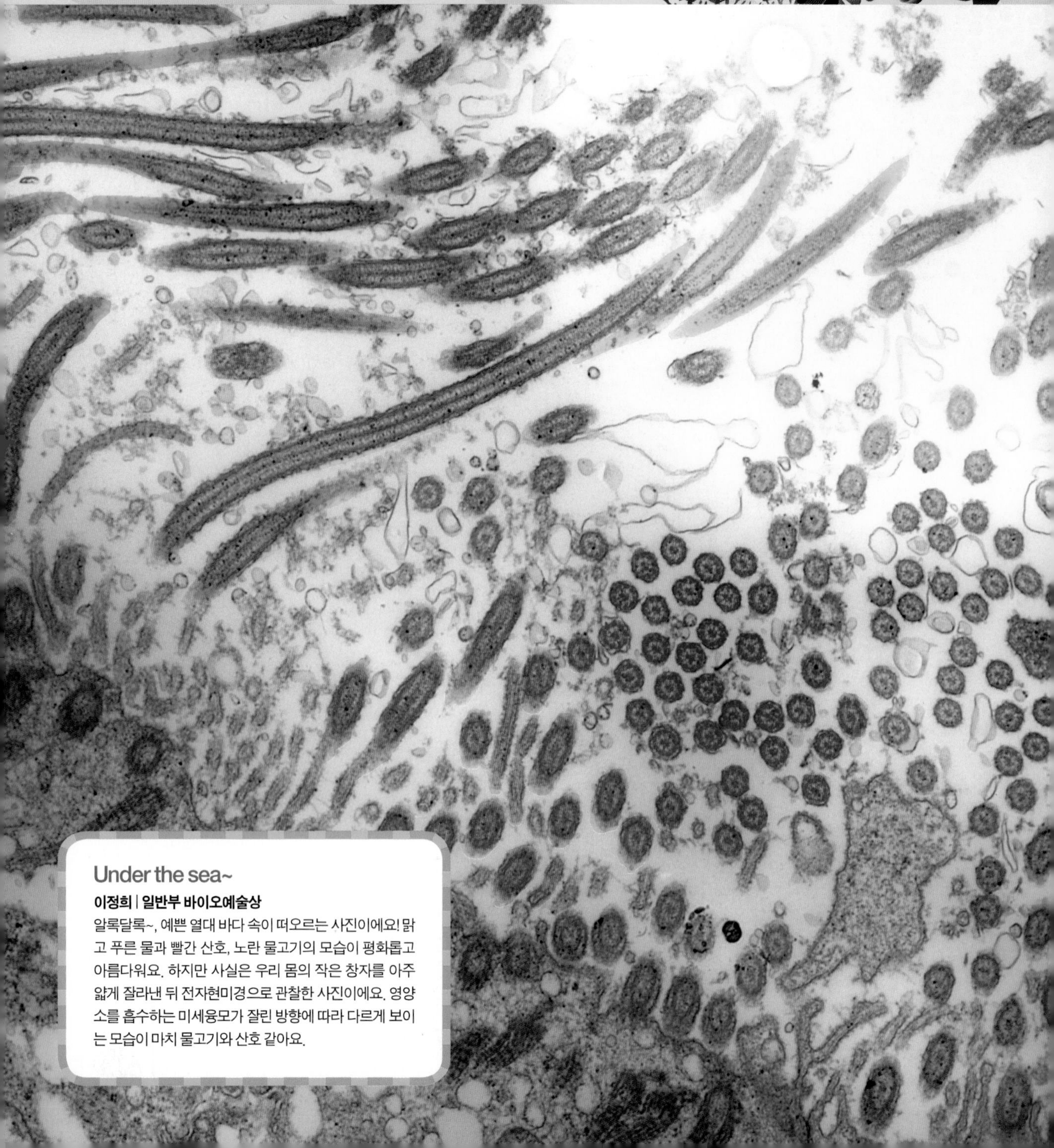

Under the sea~

이정희 | 일반부 바이오예술상

알록달록~, 예쁜 열대 바다 속이 떠오르는 사진이에요! 맑고 푸른 물과 빨간 산호, 노란 물고기의 모습이 평화롭고 아름다워요. 하지만 사실은 우리 몸의 작은 창자를 아주 얇게 잘라낸 뒤 전자현미경으로 관찰한 사진이에요. 영양소를 흡수하는 미세융모가 잘린 방향에 따라 다르게 보이는 모습이 마치 물고기와 산호 같아요.

수목의 세대공존

박중원 | 일반부 바이오문화상

오래된 나무가 있는 풍경 같죠? 하지만 사실은 벚나무 껍질을 확대한 사진이에요. 나무 줄기를 찍었는데 그 속에 또다른 나무가 있는 거죠. 큰 나무 줄기처럼 보이는 부분은 '풀잠자리'의 알이에요. 베어진 나무 밑동처럼 보이는 것은 풀잠자리의 알이 떨어져나간 흔적이랍니다.

◀수영장

배준영 | 초중등부 바이오예술상

물이 빠진 수영장 같기도 하고 새빨간 용암을 숨기고 있는 커다란 분화구 같기도 해요. 이 사진의 주인공은 무엇일까요? 바로 고둥이에요. 고둥의 등껍질을 전자현미경으로 3000배 확대해 보니 이렇게 겹겹이 층이 난 오목한 구멍이 보이네요.

▼초록별 지구를 되살리자

김대현 | 초중등부 바이오과학상

46억 살 지구가 환경 오염으로 몸살을 앓고 있어요! 힘들어 하고 있는 지구를 다시 파랗게 되살리고 싶은 마음을 현미경 사진으로 표현했어요. 우리나라와 중국, 일본에 흔히 자라는 상수리나무의 껍질 세포를 염색한 뒤 100배 확대해 봤어요.

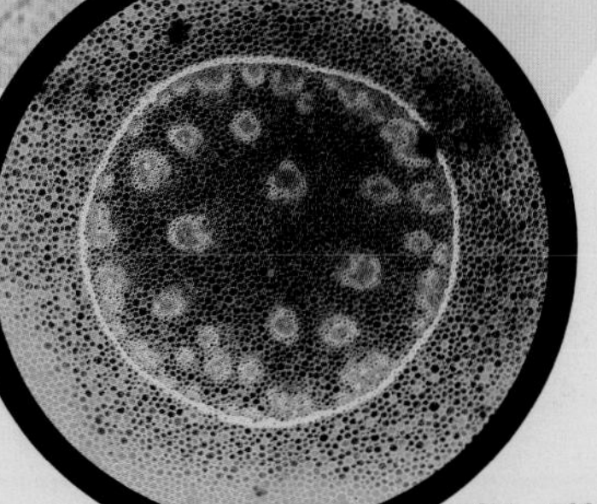

*제6회 바이오현미경 사진전은 보건복지가족부 등이 주최하고 교육과학기술부와 동아사이언스 등이 후원합니다. 더 많은 수상 작품은 동아사이언스 홈페이지(www.dongascience.com)에서도 볼 수 있어요!

특집
판타스틱!
2009
첨단농업
쇼

풍요의 계절 가을을 맞아 세계적인 디자이너 앙드레 농 선생님이 최신 트렌드를 발표했어요. 가을철 패션 스타일이냐고요? 땡! 춥고 더운 어떤 환경에서도 끄떡없고, 자동 생산 방식을 갖추었으며, 기능과 용도가 아주 다양하면서도 친환경적으로 디자인된 특별한 작품이랍니다. 과연 이것의 정체는 무엇일까요?

글 • 성나해 기자
도움 • 김상철(농촌진흥청 생산자동화기계과), 여주홍(농촌진흥청 잠사양봉소재과), 유영선(농촌진흥청 에너지환경공학과), 장유섭(농촌진흥청 생산자동화기계과), 장재경(농촌진흥청 에너지환경공학과), 조강진(농촌진흥청 기능성식품과), 조수묵(농촌진흥청 기능성식품과), 지형진(농촌진흥청 유기농업과), 한범수(농촌진흥청 기능성물질개발과)
사진 • 농촌진흥청 외
일러스트 • 레이먼드 워홀, 임성훈

쇼를 시작하기 전에

안녕하세요? 앙드레 농입니다. 쇼를 시작하기에 앞서, 먼저 관객 여러분께 간단한 테스트를 하려고 합니다. 이 내용은 앞으로의 작품 활동에 유용한 자료로 쓰일 거예요. 또한 여러분은 더욱 재미있게 이번 쇼를 즐기실 수 있고요.
그럼 시작해 볼까요?

START

'농업'의 모습은
예나 지금이나
- **똑같다.**
- **다르다.**

YES

농작물은 논밭이 아닌 곳에서는
잘 자라기 어렵다.

NO

농촌에서
똥덩어리를 본다면
- **멀리 피해 가겠다.**
- **미생물을 넣겠다.**

한겨울에 온실에서 키운
딸기가 나왔다. 온실은
어떻게 따뜻해졌을까?
- **석유 난방**
- **지열로 데운 온수**

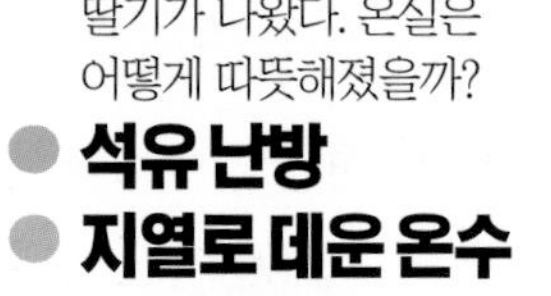

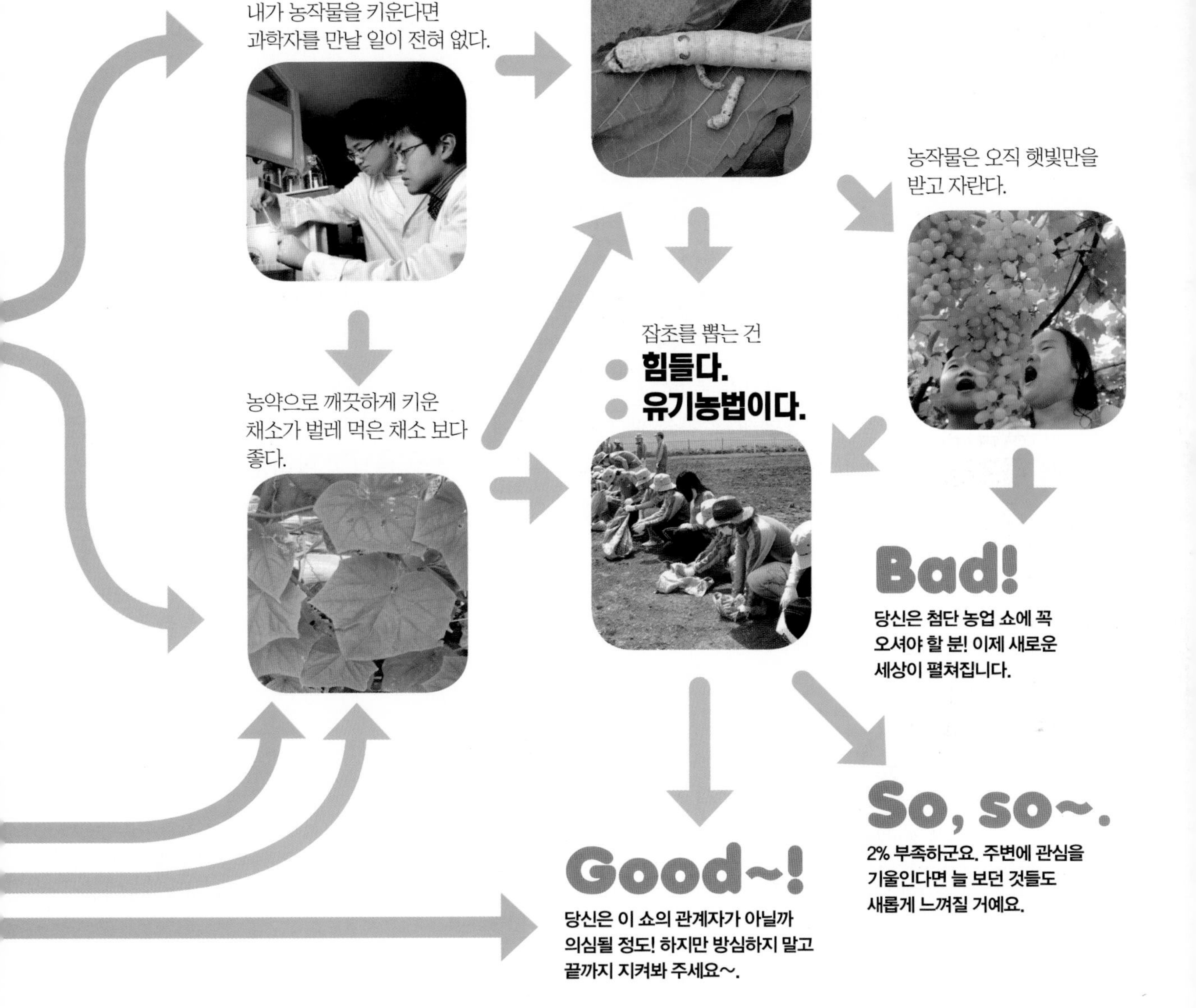

여러분은 어떤 결과가 나왔나요? 알쏭달쏭한 질문에 선뜻 답하기가 곤란했나요? 하핫, 제 작품의 주제가 바로 농업이랍니다. 농업은 인류가 처음으로 시작한 '일'이에요. 살아가는 데 꼭 필요한 먹을거리를 생산하기 위해 여러 가지 활동을 하게 되었죠. 처음에는 햇빛과 물, 땅에 의지하며 사람의 손으로 작물을 키웠어요. 하지만 인구는 늘어나고, 농작물을 키울 땅이 부족해 충분한 식량을 공급하기 어려워졌어요. 그래서 농업은 사람들이 원하는 방향으로 새롭게 디자인되고 있답니다. 그 중심에는 첨단 과학이 있죠. 지금부터 2009 첨단 농업 쇼에 여러분을 초대합니다~.

농사도 공장에서 짓는다!

'쿠웅~, 철컹!'

기계가 과자를 찍어 내듯이 우리가 먹는 채소도 그렇게 만들어 내면 어떨까요? 웬 엉뚱한 상상이냐고요? 오호호~, 상상이 아니랍니다. 첨단 과학은 농작물을 키우는 방법도 바꾸고 있죠. 땅에서만 키울 수 있었던 농작물을 이제는 원하는 장소와 환경에서 키울 수 있게 되었어요! 바로 '식물 공장'에서 말이에요.

식물 공장은 컴퓨터로 온도, 습도, 탄산가스, 태양광 등을 식물이 자라기 알맞은 상태로 조절해 기상 조건에 관계없이 일 년 내내 싱싱한 채소를 생산하는 시스템이에요. 식물 공장은 1957년에 덴마크 크리스탠 농장에서 처음 생각해 냈어요. 이것을 시작으로 유럽 등 전세계에 식물 공장 기술이 전파되었죠.

식물 공장에서는 심을 때 사람의 손에서 떠난 농작물이 수확할 때서야 다시 돌아와요. 즉, 사람이 직접 돌아다니며 물을 주고 돌보지 않아도 되죠. 또한 땅에서 키울 때는 새싹일 때부터 넓은 자리를 차지해야 하지만, 식물 공장에서는 작물이 크면서 그때그때 필요한 만큼 간격을 넓혀 주면 돼요. 그래서 공간을 짜임새 있게 쓸 수 있답니다. 최근에는 이런 식물 공장을 층층이 쌓은 빌딩 농장도 대안으로 떠오르고 있어요.

파종
파종 기계에서 싹을 틔운다.

식물 공장에서 농작물을 키우는 과정

식물 공장에서는 씨를 뿌리고(파종), 싹을 틔워서(육묘) 심고(정식), 키우고(재배), 거두는(수확) 모든 단계가 이루어진다. 현재는 주로 치커리, 시금치, 상추 등의 녹색 채소류를 키우는데, 40~50일로 비교적 재배 기간이 짧고 공간을 많이 차지하지 않기 때문이다. 식물 공장에서는 싹을 심고 수확하는 모든 과정이 매일 이뤄진다.

육묘
새싹을 모종으로 키운다.

정식
모종을 심는다. 처음에는 간격이 촘촘하다.

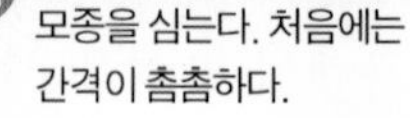

재배
작물이 커가면서 작물 사이의 간격이 자동으로 넓어진다.

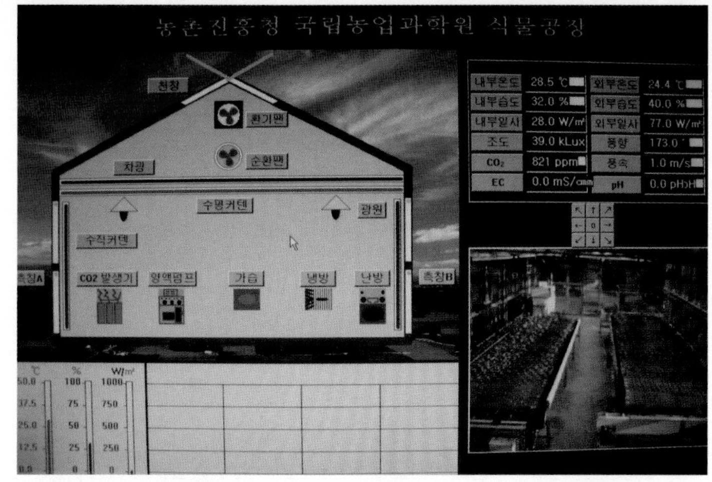

▲농촌진흥청의 식물공장 실험실.

◀식물 공장에서는 컴퓨터로 모든 환경을 조절한다.

“우리나라는 1970년에 7.31a였던 1인당 농경지 면적이 2008년에 3.62a까지 줄었어요. 따라서 공간을 효율적으로 쓸 수 있는 식물 공장이 더욱 필요해졌지요. 우리나라도 1996년부터 연구해 온 결과, 곧 실용화를 눈앞에 두고 있답니다.”

*a : 넓이의 단위로, ‘아르’라고 읽는다. (1a=100㎡)

장유섭
(농촌진흥청 생산자동화기계과)

빛을 내 맘대로!

휴~, 부족한 농경지는 식물 공장에서 해결! 하지만 햇빛이 없는 날은 어떡하죠? 와우~, 저 오색찬란한 불빛 아래서 건강하게 자라고 있는 식물들 좀 보세요! 그런데 왜 농작물에 빨갛고 파란 이상한 빛을 쪼이냐고요?

빛의 색깔은 빛의 파장이 결정해요. 가시광선에서는 파장이 가장 긴 빨강부터 가장 짧은 보라색까지, 빨주노초파남보 순서로 파장이 짧아지죠. 그런데 식물은 태양빛을 받으면 자기가 필요한 파장의 빛만 흡수하고 나머지는 반사시켜요. 즉, 필요한 빛의 파장은 종에 따라서나 열매를 맺을 시기, 꽃을 피울 시기 등 생장 과정에 따라서도 다르답니다.

바로 이런 이유로 인공 LED를 사용해서 식물에게 알맞은 파장의 빛만을 쪼여 주는 거예요. 다른 파장의 빛까지 쪼이느라 전력을 낭비하지 않을 수 있고, 전력 효율도 일반 백열등보다 5~6배 높아 에너지를 훨씬 많이 절약할 수 있어요. 또 빛을 조절함으로써 농작물에 영양소가 더 많게 하거나, 꽃을 피우고 열매를 맺는 과정도 조절할 수 있고요. 실제로 메밀싹에 LED와 태양빛을 각각 쪼여 주었더니, 태양빛보다 LED 빛을 받은 메밀싹에서 항암 성분인 루틴이 17배, 비타민 A는 10배 더 많았다고 해요.

"최근에는 자동 LED 스마트 전등을 개발하고 있어요. 스마트 전등은 세포를 배양하는 단계에서부터 날짜와 시간을 계산해, 식물의 생장 과정에 알맞은 파장과 세기, 간격으로 빛을 쪼여 준답니다."

김상철
(농업진흥청 생산자동화기계과)

▲농작물에 서로 다른 LED 인공광을 쪼여 주는 실험.

농사짓는 로봇 출동!

그렇다면 일손이 부족할 때는? 걱정 마세요. 로봇 농민이 출동합니다~! 로봇 농민들은 혼자서 모내기와 접붙이기를 하고, 딸기를 수확할 수도 있어요. 로봇이 아니라 기계라고요? 그런 섭섭한 말씀을! 기계는 사람이 조작해야 움직이지만 로봇은 사람의 도움 없이 스스로 판단해서 일할 수 있다는 뜻이거든요.

예를 들어 모내기에 쓰이는 자동 직진 이앙기 로봇은 GPS 장치로 방위를 측정해 똑바로 모를 심을 수 있어요. 접목로봇은 뿌리가 될 식물과 접붙일 식물을 주면 자동으로 접붙이는 작업을 하지요. 또 딸기 수확 로봇은 영상처리 장치가 달려 있어 딸기의 색상과 모양으로 잘 익은 딸기를 구별한답니다. 최근에는 잡초를 뽑는 제초 로봇도 개발 중에 있어요.

이렇게 자동화된 방법으로 농작물을 키우면 처음 배우는 사람이나 할아버지, 할머니도 손쉽게 농작물을 키울 수가 있어요. 하지만 단지 일손을 덜기 위한 것만은 아니에요. 친환경적인 농작물로 튼튼하게 키우려면 이런 기술들이 더욱 중요하거든요. 화학 비료 대신 냄새나는 가축의 똥을 써야 하고, 잡초도 농약을 뿌리는 대신 손으로 뽑아야 해요. 이런 어려운 작업을 로봇 농민이 도와 준다면 몸에 안 좋은 화학 약품을 쓰지 않아도 된답니다.

❶ 딸기 수확 로봇.
❷ 자동 직진 이앙기.
❸ 접목로봇.

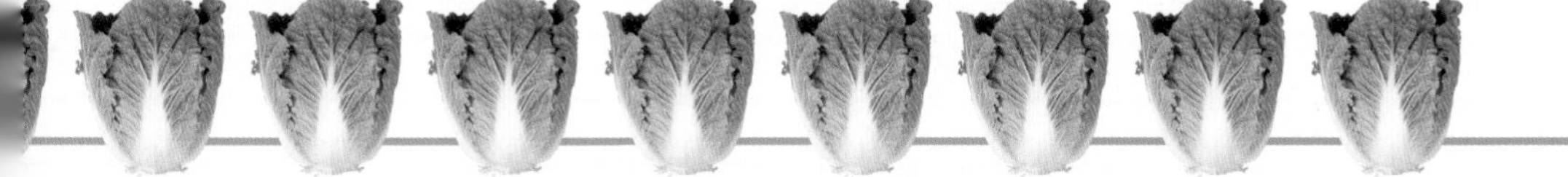

필요한 성분을 쏙~!

이제 많이 먹는 것보다 '잘' 먹는 게 중요한 시대! 농작물마다 나에게 필요한 특별한 기능을 넣는다면 그야말로 '먹는 게 보약'이겠죠?

그래서 과학자들은 농작물에서 특별한 기능을 하는 성분을 찾아 내고 없던 기능 성분을 추가하기 위해 연구 중이에요. 그건 생명공학 기술이 있기에 가능하죠. 식물이 성장해서 꽃을 피우고 열매를 맺는 과정에는 유전자가 관여하고 있어요. 이 유전자와 유전자가 만들어 내는 단백질이나 대사물질을 활용해서 우리가 필요한 소재를 생산할 수 있죠. 예를 들어 우리 몸에 꼭 필요한 비타민 C는 밀감이나 고추에는 많이 들어 있지만 쌀에는 없어요. 하지만 고추에서 비타민 C를 만드는 유전자를 찾아 벼에 넣는다면, 비타민 C가 들어 있는 쌀을 생산할 수 있답니다.

또한 생명공학 기술은 혹독한 환경에서도 잘 자라는 농작물을 개발하는 데에도 활용되고 있어요. 식물은 본래 병해충이나 가뭄 등의 외부 환경을 견디는 데 필요한 물질을 만들어 내요. 예를 들어 해충을 물리치는 유전자를 벼와 옥수수 같은 작물에 도입하면 병해충에도 끄떡없는 농작물을 개발할 수 있죠. 우리나라의 농촌진흥청에서도 벼에 많은 피해를 주고 있는 혹명나방에 견딜 수 있는 벼를 개발해서 시험 재배하고 있답니다. 과학자들은 이처럼 어떤 성분이 우리의 건강을 지켜 주고, 더 튼튼하게 자라게 하는지를 밝혀서 좋은 성분이 많이 들어간 기능성 농작물을 개발하기 위해 노력하고 있어요.

▲ 익은 배추김치를 연구한 결과 세포의 노화 방지와 항암 효과가 있다는 사실이 밝혀졌다. 또 당뇨병 환자도 안심하고 먹을 수 있는 고아미쌀이 개발되어 환자가 쌀을 먹으면서도 혈당을 조절할 수 있게 됐다.

"미래에는 우리가 먹는 농작물이 인체에 어떤 영향을 주는지 더 자세하게 알 수 있을 거예요. 이를 바탕으로 성별과 나이, 체형 등 사람들의 다양한 조건에 맞는 맞춤형 농작물이 개발될 예정이랍니다."

조강진
(농촌진흥청 기능성식품과)

특별 공개 레시피

아토피야 물러가라~

농촌진흥청의 연구 결과 검은콩과 자두, 민들레에는 아토피 증상을 덜어 주는 성분이 들어 있다는 게 밝혀졌어요. 그 효과는 집에서도 간단하게 체험해 볼 수 있답니다.

먼저 말린 자두 2개, 검은콩 한주먹(5~10g), 말린 민들레 전초(꽃, 잎과 줄기, 뿌리) 2~3개(10~15g), 유근피(느릅나무 껍질) 5g, 삼백초 30g을 준비하세요. 그리고 모든 재료를 주전자에 넣고 적당량의 물을 부은 다음 끓여 먹으면 아토피에 도움이 될 거예요.

▲ 자두, 검은콩 등에 함유된 아토피 완화 성분으로 만든 가공 식품.

농업이라고 하면 먹는 것부터 떠올리는 분들은 특히 여기를 주목해 주세요~. 최근에는 다양한 방법으로 농작물이나 농업의 부산물이 유용하게 쓰이고 있답니다. 유전공학을 이용해서 의약품과 산업용 소재를 만드는 분자농업도 그 중 하나예요. 분자농업이란, 식물의 세포를 변형시켜 의료용 단백질을 생산하는 농업을 말해요. 식물에서 생산된 의료용 단백질은 백신을 만들거나 *혈전 용해제와 같은 치료용 약품으로 쓸 수 있어요.

또 예로부터 누에는 비단을 뽑아 내는 유용한 작물로 명성을 떨쳐 왔지만, 이제는 누에 성분의 과학적인 효과가 밝혀지면서 더욱 다양한 용도로 활용되고 있어요. 누에고치가 뽑아 낸 비단실에서 우리 몸에 이로운 단백질 성분을 추출하면 아주 유용하게 쓸 수 있지요. 특히 피부를 촉촉하게 하는 효과가 있어 화장품과 치약, 염모제를 만드는 데 쓰여요. 심지어 가축의 비료로 버려졌던 누에똥에는 칼슘, 엽록소, 비타민 등이 농축되어 있어 아토피 증상을 덜어 주는 효과가 있다는 게 밝혀졌어요. 이 밖에도 누에에서 추출한 단백질로 인공뼈를 만드는 연구까지, 누에의 활약은 그야말로 무궁무진하답니다.

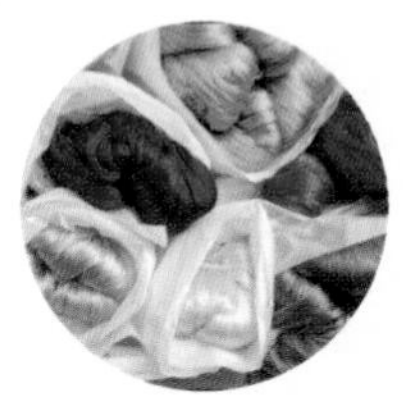

*혈전 용해제 : 혈관에 혈액이 굳어 있는 덩어리를 녹이는 물질.

읍~! 이제 코를 막아 주세요. 이 시커먼 구정물 역시 첨단 과학으로 재탄생을…, 켁켁~! 처음에는 냄새가 좀 심하지만요. 바로 소와 돼지의 똥, 오줌를 모아 연료로 쓰려는 거랍니다.

가축을 키우면서 나오는 분뇨는 농업 폐수로 환경에 심각한 영향을 주고 있어요. 그 동안에는 주로 바다에 버려 왔지만 2012년부터는 이것도 엄격히 금지될 예정이에요. 그러니 모든 농업 폐수를 어떻게든 깨끗하게 처리해야 하는 상황이지요. 그래서 생각해 낸 반짝이는 아이디어가 바로 미생물 연료전지랍니다.

미생물 연료전지가 처음 나오게 된 건 미항공우주국에서 우주인들의 배설물을 처리하기 위해서였어요. 이후 다른 분야에도 활용하기 시작하면서 농업 폐수와 생활 하수 등을 처리하는 데 응용된 거죠. 아직 수소 연료 전지와 같이 큰 에너지를 내는 건 아니지만, 처치 곤란한 똥덩어리를 모아서 유용하게 쓸 수 있다는 점이 가장 큰 매력이에요. 처리 비용이 훨씬 줄어드는 건 물론이고요.

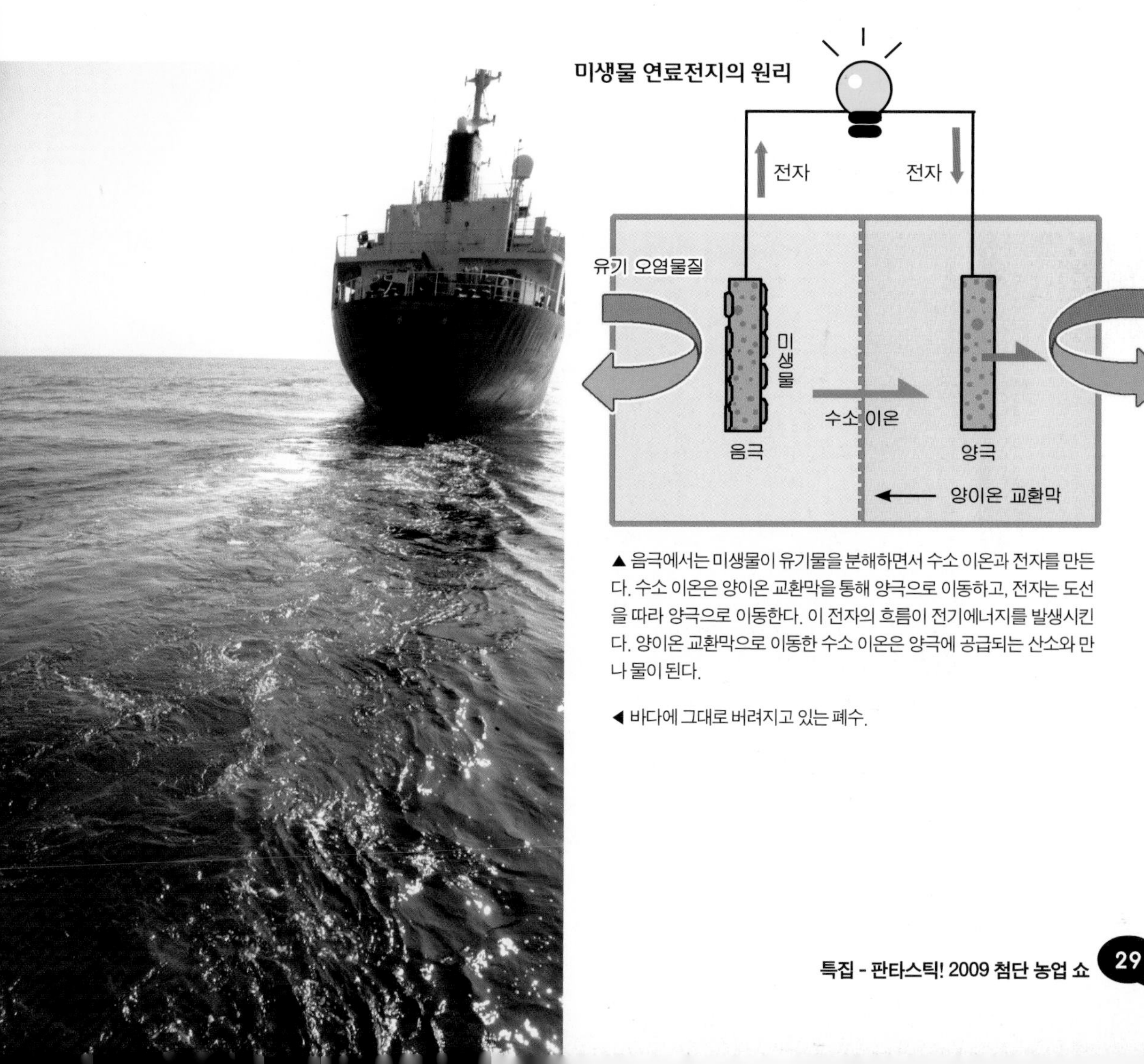

▲ 음극에서는 미생물이 유기물을 분해하면서 수소 이온과 전자를 만든다. 수소 이온은 양이온 교환막을 통해 양극으로 이동하고, 전자는 도선을 따라 양극으로 이동한다. 이 전자의 흐름이 전기에너지를 발생시킨다. 양이온 교환막으로 이동한 수소 이온은 양극에 공급되는 산소와 만나 물이 된다.

◀ 바다에 그대로 버려지고 있는 폐수.

건강도 환경도, 유기농으로 튼튼!

'칙, 치익~.' 갑자기 왜 농약을 뿌리냐고요? 걱정 마세요~. 이건 계란노른자로 만든 유기농 살충제니까요. 유기농업은 화학비료나 농약 대신 자연에서 얻을 수 있는 유기물과 광물, 미생물을 이용하는 방법이에요. 생태계를 건강하게 유지하면서 사람도 영양가 높은 농산물을 얻을 수 있죠.

유기농 연구가 활발하게 시작된 건 농약에 포함된 환경 호르몬이 인체에 나쁜 영향을 준다는 사실이 알려지면서부터였어요. 1995년에는 프랑스의 자크 오제 박사팀이 환경 호르몬의 영향으로 남성의 정자 수가 20년 만에 절반으로 줄어들었다는 연구 결과를 발표하기도 했지요. 실제로 67종에 이르는 환경호르몬 중에 농약에 들어 있는 성분이 41종이나 되고요. 이 때부터 유기농업이 안전한 농산물을 키우는 방법으로 떠올랐답니다.

자~, 지금부터 누구나 만들 수 있는 손쉬운 유기농 살충제를 소개할게요. 계란 노른자와 식용유를 섞어서 뿌리기만 하면 된답니다. 간단한 방법이지만 그 효과는 놀라워요!

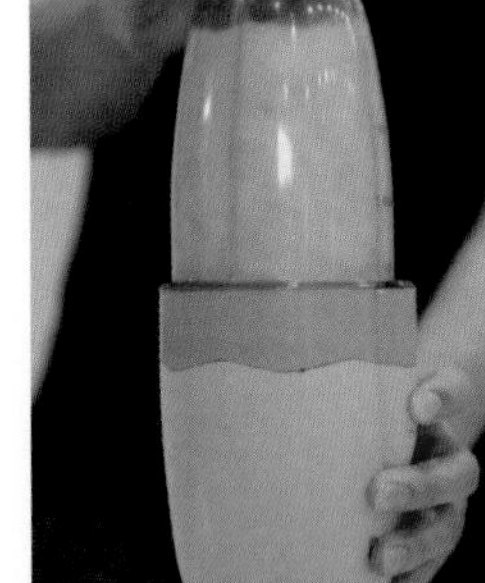

▲ 계란노른자에 물을 약간 넣어 2~3분 동안 믹서기로 갈고, 다시 식용유를 넣어 2~3분 더 간다. 이 난황유를 물에 희석해서 잎사귀의 앞 뒷면에 골고루 묻도록 충분히 뿌려 주면 끝~.

▼ 난황유를 안 뿌린 농작물. ▼난황유를 뿌린 농작물.

난황유를 뿌려 병해충을 막는다!

난황유는 식용유와 계란노른자를 섞은 뿌연 액체로, 흰가루병, 노균병 등 식물이 걸리기 쉬운 병을 예방하고 치료하는 데 이용하는 유기농 재료이다. 기름은 1세기부터 사용된 가장 오래된 천연 농약으로, 병원균의 세포벽을 파괴하고 해충의 호흡을 방해한다. 또 식물 표면을 보호해서 병원균이 침입하는 것을 막아 준다. 계란노른자에 들어 있는 레시틴이라는 지방 성분이 물과 기름을 섞이도록 해서 살충 효과를 낸다.

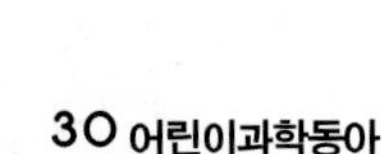

달에는 물이 흐른다

최근 미국 브라운대학교 칼 피터스 박사는 인도의 달 탐사 위성인 찬드라얀 1호를 비롯해, 미국항공우주국의 혜성 탐사선 딥 임팩트, 토성 탐사선 카시니호 등 세 개의 탐사선이 보내온 자료를 분석했어요. 그 결과 세 탐사선 모두 달 표면에 물이 있었다는 흔적을 포착했다는 연구 결과를 얻었답니다. 이 사진은 찬드라얀 1호가 관측한 정보를 바탕으로 만든 달 사진이에요. 사진에서 달의 극지방 쪽에 푸른색이 보이지요? 이 푸른색 부분이 물이 있다는 걸 뜻해요. 초록색은 달 표면의 밝기를, 붉은색은 광물의 하나인 휘석의 분포를 나타낸답니다.

글 • 고선아 기자 일러스트 • 김석 사진 • 동아일보, NASA 외

우리나라에도 뿔공룡이?!

초식공룡인 트리케라톱스의 조상으로 보이는 신종 공룡의 턱뼈 화석이 우리나라에서 발견되었다는 반가운 소식입니다.
국립문화재연구소 임종덕 박사와 부경대 지구고환경연구실 연구팀은 경남 고성군 월평리의 퇴적암 지층에서 공룡 아래 턱뼈 화석을 발견해 분석했어요. 지난 해 9월 처음 발견된 이 화석은 길이가 10㎝ 정도로, 이빨 모양까지 생생하게 남아 있을 만큼 보존이 잘 되어 있었지요. 분석 결과, 약 9000만 년 전인 백악기에 살던 뿔공룡 화석으로 확인되었답니다.
과학자들은 앞으로 다른 나라에서 발견된 뿔공룡과 비교 연구를 진행할 예정이라고 해요. 그 결과 신종 공룡으로 확인되면, 화석이 발견된 고성군의 이름을 딴 새 학명을 지어 국제학술지에 발표할 계획이래요. 우리나라에 뿔공룡까지 살았다니, 백악기 한반도가 공룡의 낙원이었다는 게 더욱 실감이 나네요.

바다로 돌아간 은북이

지난 10월 5일, 부산 해운대 해수욕장에서는 '은북이'라는 이름의 푸른바다거북을 바다로 돌려보내는 행사가 열렸어요. 은북이는 몸길이 93㎝, 몸무게 87㎏으로, 작년 여름 그물에 걸려 생명이 위험한 상태로 발견되었어요. 이후 국립수산과학원의 도움으로 부산아쿠아리움으로 옮겨져 치료를 받았고 이제 건강을 회복해 다시 바다로 돌려보내진 거예요.
바다로 돌아간 은북이의 등에는 인공위성 추적 장치가 달려 있어요. 은북이와 같은 바다거북은 숨을 쉬기 위해 물 위로 올라오는데, 이 때 위성이 신호를 잡아 그 위치를 파악하게 돼요. 국립수산과학원에서는 이 신호를 받아 은북이가 어디로 가고 있는지를 파악해 앞으로 바다거북을 보호하는 연구에 자료로 쓸 계획이래요. 부디 은북이가 바다에서 건강하게 살고 있다는 소식이 전해지길 바랍니다.

ⓒ부산아쿠아리움

특집 용어 정리

환경 호르몬

자연에 존재하는 화학 물질 중에서 생물에 흡수되면 호르몬이 관여하는 내분비계에 교란을 일으키는 물질을 말해요. 내분비계는 주로 성장과 생식, 영양과 관련된 신호 전달에 관여하지요. 현재 이렇게 알려진 화학 물질로는 세계야생동물보호기금(WWF)에서 규정한 67종이 유명해요. 여기에는 DDT 등 농약 41종과 음료수 캔의 코팅에 쓰이는 비스페놀 A, 쓰레기 소각장에서 발생하는 다이옥신 등이 포함되어 있어요. 호르몬이라는 단어는 몸속에서 합성된 물질을 의미하기 때문에 '내분비계 교란물질'이라는 명칭을 사용하도록 권장하고 있답니다.

육묘

번식용으로 이용되는 어린 모를 못자리에서 기르는 걸 육묘라고 해요. 이렇게 직접 씨앗을 심지 않고 싹을 틔워 어린 모를 키우는 이유는 여러 가지가 있어요. 벼와 양배추는 육묘할 경우에 생산량이 더 많고, 담배와 같이 어릴 때 관리가 많이 필요한 경우에는 육묘하여 재배하는 것이 더욱 효과적이랍니다.

연료전지

연료가 산화되면서 생기는 화학 에너지를 직접 전기 에너지로 변환시키는 전지로, 일종의 발전 장치라고 할 수 있어요. 산화, 환원 반응을 이용한 점은 화학전지와 같지만, 닫힌 공간에서 반응을 하는 화학전지와 달리 계속 연료를 공급해 준다는 점이 달라요. 잘 알려진 것으로는 수소-산소 연료전지가 있고 최근에는 미생물을 활용한 연료전지가 활발하게 연구 중에 있답니다.

유기농

유기농업은 화학 비료나 합성 농약, 제초제 등 합성 화학물질을 전혀 사용하지 않고 자연에서 나는 재료만을 쓰는 방법이에요. 퇴비와 두엄 등을 사용해서 땅이 기름지게 된다면, 자연스럽게 농작물도 병충해를 잘 견딜 만큼 튼튼해진다는 생각을 바탕으로 하지요. 자연환경을 파괴하지 않고 생태계를 보호하면서, 인간도 안전한 먹을거리를 얻을 수 있는 방법이에요.

자연, 너는 나의 에너지~♪

벌써 쇼가 마지막으로 접어들었군요. 2009년 첨단 농업 쇼의 마지막을 장식할 작품은 바로 에너지를 아끼는 깨끗한 농업입니다. 과학자들은 온실에 드는 막대한 난방 에너지를 대신할 방법을 궁리해 왔어요. 화석 연료를 쓰기 전에 자연이 주는 햇빛과 땅의 온기를 최대한 활용하자는 거죠.

그 중 땅의 열기로 물을 데워 온실을 난방하는 방법을 지열 히트펌프 시스템이라고 해요. 땅 속의 온도는 늘 일정하기 때문에 이 에너지를 활용하면 기름을 전혀 쓰지 않으면서도 훨씬 적은 비용으로 온실을 유지할 수가 있어요. 이 기술은 점점 발전해서 최근 '축열실 수평형 지열펌프시스템'이라는 이름으로 맹활약하고 있어요. 경유 난방에 드는 기름값의 9분의 1 정도만으로 난방을 하고, 여름철에는 냉방할 수도 있는 똑똑한 기능을 갖추고 있지요. 이 시스템의 모든 장치는 자동으로 동작하고 컴퓨터를 통해 실시간으로 모니터할 수 있답니다.

지열 히트펌프 시스템

땅 속에서 흡수한 열은 열 교환기를 통해 히트펌프의 냉매로 전달되고, 지열을 흡수해서 증발된 냉매는 높은 온도와 압력의 증기로 압축되어 40~50℃ 온수로 저장된다. 이렇게 땅의 열기로 만들어진 온수가 온실의 온도를 높이는 데 이용된다.

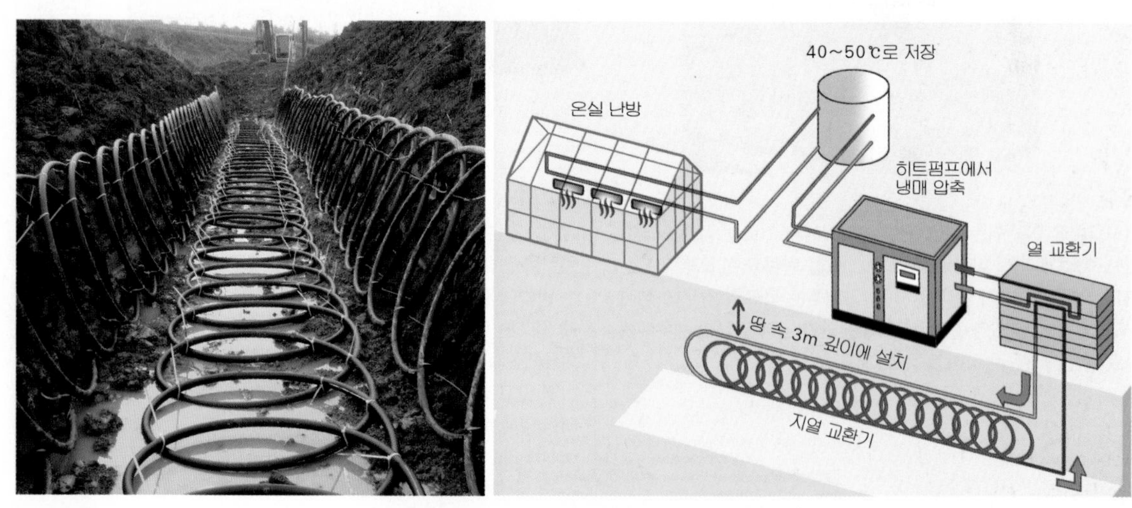

그 동안 전통 산업으로만 여겨졌던 농업, 이제 첨단 과학으로 디자인된 과학 예술이라고 불러도 되겠죠? 이제 쇼를 마칠 시간이에요. 하지만 너무 아쉬워하지는 마세요. 지금 이 순간에도 과학자와 농민이 펼치는 첨단 농업 쇼는 계속되고 있으니까요!

느낌으로 안다?

영화나 광고 중에 그림이나 글자가 빠르게 스쳐 지나가도록 해서 무의식적으로 어떤 메시지를 전달하려는 것을 '잠재 메시지'라고 해요. 영국 런던대학교 연구팀은 50명에게 잠재 메시지를 보여 주고 느낌을 묻는 실험을 했어요. 잠재 메시지는 '꽃, 평화' 같은 긍정적인 것과 '절망, 살인' 같은 부정적인 것, 그리고 '상자, 주전자' 같은 중립적인 것으로 이루어졌어요. 실험 결과 참가자들이 부정적인 단어를 더 잘 알아차린 것으로 나타났어요. 빠르게 지나가는 단어를 알아보지는 못해도, 무의식 중에 부정적인 느낌이란 걸 정확하게 알아차린 거지요. 연구팀은 이것을 진화론과 연관지어 무의식적으로 감정에서 정보를 처리하기 때문이라고 설명했답니다.

티라노사우루스가 기생충에게 졌다고?

기자는 지금 떨리는 마음으로 미국 시카고에 있는 필드 박물관에 나와 있습니다. 왜 떨고 있냐고요? 오늘 만날 인터뷰 주인공이 바로 무시무시하기로 소문난 티라노사우루스 렉스이기 때문이에요! 이름만 들어도 사납게 싸우는 모습이 떠오르지 않나요? 그런데 이 박물관에 있는 '수'라는 이름의 티라노사우루스 렉스 화석에서 평소 이미지와는 어울리지 않는 재밌는 연구 결과가 나왔다고 합니다. 대체 무슨 내용인지 직접 만나 확인해 보겠습니다.

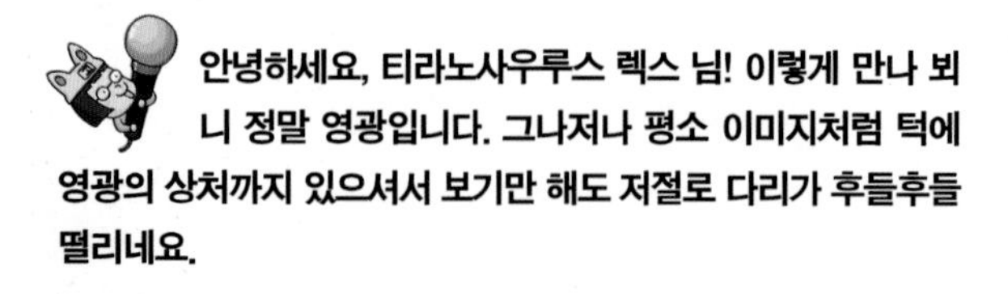

안녕하세요, 티라노사우루스 렉스 님! 이렇게 만나 뵈니 정말 영광입니다. 그나저나 평소 이미지처럼 턱에 영광의 상처까지 있으셔서 보기만 해도 저절로 다리가 후들후들 떨리네요.

제 턱에 난 상처를 보고 지레 겁먹지는 말아 주세요. 사실 그동안 사람들은 이 상처가 제가 다른 티라노사우루스 렉스와 싸우다가 생긴 거라고 생각했어요. 그럴 법하잖아요? 그런데 이번에 그렇지 않다는 연구 결과가 나와서 저도 놀랐답니다.

엥? 싸움에서 난 상처가 아니라고요? 그렇다면 대체 그 상처는 어떻게 생긴 거죠? 설마 성형수술을 했던 건 아니실 테고….

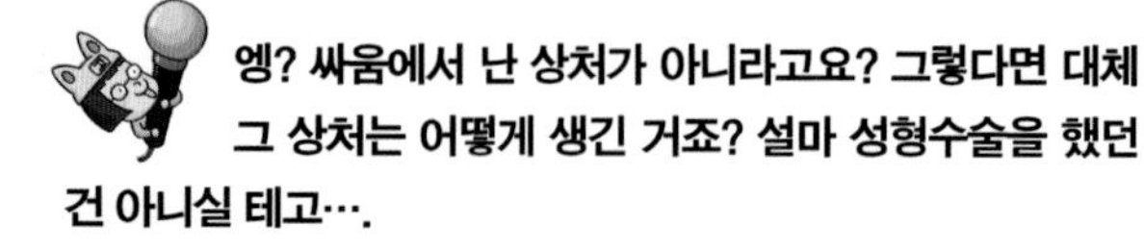

에휴~, 말하기가 좀 그런데. 조용히 귀 좀 빌려 주세요. 그러니까 사실은…, 편모충이라는 기생충에 감염되어 생긴 구멍이랍니다. 이 덩치에 아주 작은 기생충에 감염되어 죽은 거라는 연구 결과가 좀 당혹스럽긴 하지만, 연구 결과가 그렇다니 뭐 인정할 수밖에요. 흠흠~.

기생충이라고요? 그런데 그걸 어떻게 알아 낸 거죠?

미국과 호주 연구팀은 제 화석에 나 있는 구멍을 조사해 편모충이라는 기생충에 감염된 새들의 아래쪽 부리 상처와 비슷하다는 걸 알아 냈답니다. 흔히 비둘기들이 이 기생충을 갖고 있는데, 비둘기들은 면역력이 있어서 별다른 증상이 없어요. 하지만 비둘기를 먹은 맹금류들은 이 기생충에 감염되면 증상이 나타나지요. 또한, 다른 공룡과 싸우다가 상처가 났다면 상처 모양이 더 거칠었을 텐데, 실제로 제 턱에 있는 상처는 매끄럽고 끝이 부드러운 형태였지요.

이 편모충에 감염되면 턱 주변과 목 안쪽까지 망가져 먹이를 삼킬 수 없다니…. 아하~! 공룡도 그래서 굶어 죽은 거로군요!

맞아요. 연구팀은 다른 종류의 공룡에게선 편모충에 감염됐다는 증거가 발견되지 않았다며, 티라노사우루스끼리 잡아먹고 싸우면서 편모충을 옮겼을 걸로 보고 있답니다. 어때요? 거대한 티라노사우루스가 작은 기생충 때문에 쓰러졌다니, 정말 흥미롭지요?

단백질 보충제보다 더 무서운 것은?

글 • 김희정 과학칼럼니스트

근육은 고무줄처럼 길쭉한 근육세포가 여러 개 묶여 있는 다발 같은 형태입니다. 운동을 하면 이 근육세포들은 손상되어 버리죠. 그러면 우리 몸은 혈액 속의 아미노산을 끌어와서 손상된 세포를 회복시키고 덧붙여서 새로운 근육세포까지 만들어 냅니다. 이런 과정이 반복되면 근육이 굵어지게 되죠.

단백질을 많이 섭취하면 근육을 만드는 재료인 아미노산이 풍부해져서 훨씬 빨리 근육을 만들 수 있고, 멋있는 몸매를 만들기도 쉬워집니다. 근육이 많아지면 신진대사가 훨씬 활발해지기 때문에 젊음을 유지하기도 쉽지요. 그래서 요즘은 단백질보충제라는 약품으로 단백질을 보충하는 사람들도 있어요.

하지만 지나친 단백질 보충은 우리 몸에 심각한 문제를 일으킬 수도 있습니다. 일단 단백질을 지나치게 섭취하면 칼슘 소모가 커져 골다공증이 쉽게 올 수 있습니다. 그리고 신장에도 문제가 생길 수 있어요. 운동을 충분히 하지 않으면 남는 단백질은 대사과정을 거쳐 에너지원이나 체지방으로 축적되고 맙니다. 그런데 이 과정에서 생긴 질소 노폐물이 암모니아 형태로 바뀌면 신장에 무리를 주게 되는 거예요. 골밀도는 떨어지고 신장은 나빠지고 살은 두부처럼 물렁하게 되어 버리는 거죠.

그러니 몸짱이 되고 싶다고 무턱대고 단백질 보충제만 먹어서는 안 되겠죠?

이슈

신종 플루 없이 건강하게~! ❶

바이러스를 막아라!

신종 인플루엔자A(신종 플루)가 지역 사회 감염을 통해 확산되고 있어요. '어린이과학동아'에서는 친구들이 신종 플루에 대해 궁금해 하는 점을 시리즈로 소개하려고 해요. 우선 이번 호에는 생활 속에서 실천할 수 있는 신종플루 예방법을 알려 줄게요.

글 • 윤신영 기자
도움 • 안영진(식품의약품안전청 화장품정책과 사무관), 김희남(고려대학교 의학전문대학원 교수)
사진 • 윤신영 기자, 동아일보
명예기자 • 허예린(경기 안양 안일초 5)

신종 플루의 주범은 바이러스!

신종 플루는 여러 명이 함께 생활하는 어린이들 사이에서 더 감염되기 쉬워요. 공동으로 사용하는 대중 교통이나 학교, 학원 등에서 감염될 염려가 있기 때문이에요. 실제로 지난 9월 첫 주부터 넷째 주까지 전국에서 일어난 집단 감염 634건 가운데 유치원과 학교에서 일어난 감염이 548건으로, 거의 대부분을 차지했답니다.

병을 일으키는 미생물은 크게 두 가지로 나뉘어요. 바이러스와, 흔히 '세균'이라고 불리는 박테리아가 그 둘인데, 신종 플루는 이 가운데 바이러스로 감염되는 질병이에요. 바이러스는 박테리아와 구조가 다르기 때문에 박테리아를 없애는 방법으로는 막기 힘들어요. 그러니 신종 플루를 예방하려면 원인인 바이러스를 막을 수 있는 방법을 알아야 해요.

바이러스, 어디에 있을까?

신종 플루를 일으키는 바이러스는 주로 호흡기를 통해 감염된다고 알려져 있어요. 그렇기 때문에 감염자와 접촉하거나, 감염자가 기침할 때 나온 침 방울에 닿을 수 있는 주변 1m 범위 안이 가장 위험해요. 하지만 바이러스는 손이나 물건에 닿은 뒤 다른 사람의 손에 옮겨 묻을 수 있기 때문에 여러 사람의 손이 닿은 곳은 모두 감염 가능성이 있다고 할 수 있어요.

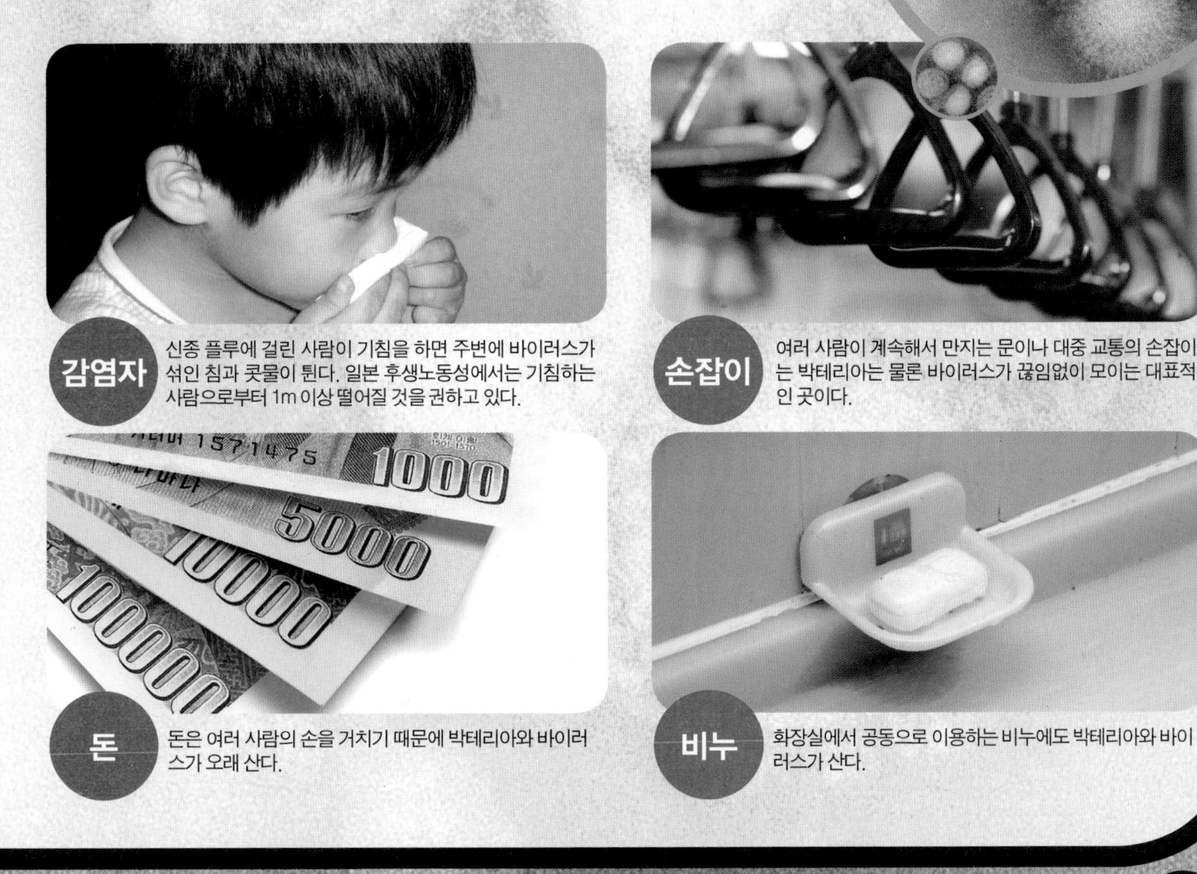

감염자 신종 플루에 걸린 사람이 기침을 하면 주변에 바이러스가 섞인 침과 콧물이 튄다. 일본 후생노동성에서는 기침하는 사람으로부터 1m 이상 떨어질 것을 권하고 있다.

손잡이 여러 사람이 계속해서 만지는 문이나 대중 교통의 손잡이는 박테리아는 물론 바이러스가 끊임없이 모이는 대표적인 곳이다.

돈 돈은 여러 사람의 손을 거치기 때문에 박테리아와 바이러스가 오래 산다.

비누 화장실에서 공동으로 이용하는 비누에도 박테리아와 바이러스가 산다.

생활 속에서 바이러스를 막아라~!

이렇게 주변 곳곳에 숨어 있는 바이러스! 하지만 평소 생활 습관만 잘 들이면 아무리 까다로운 바이러스라도 감염 걱정 없이 지낼 수 있어요. 그러니 너무 두려워하지 말고 나와 주변 사람들의 습관부터 차근차근 바꿔 봐요!

❶ 가장 중요한 손 씻기

신종 플루를 예방하는 가장 좋은 방법은 외출했다 돌아온 뒤 손을 깨끗이 씻는 거예요. 공공 장소에서 묻어 온 박테리아와 바이러스를 씻어 낼 수 있기 때문이지요. 전문가들에 따르면 손만 잘 씻어도 바이러스를 포함한 미생물의 99.9%를 없앨 수 있다고 해요.

단, 공동으로 쓰는 비누에서는 오히려 박테리아와 바이러스가 옮을 수도 있으니 용기에 담긴 물비누를 쓰는 것이 안전해요. 또 손가락 끝이나 손톱 아래 등 구석구석을 30초 이상 꼼꼼히 씻어야 효과가 있다는 사실도 잊지 마세요!

❷ 항균 비누나 소독제는 보조 수단일 뿐!

요즘 알코올 소독제로 손을 소독하거나, 항균 비누를 쓰면 신종 플루에 걸리지 않는다고 믿는 사람이 많아요. 하지만 소독제나 항균 비누의 '항균' 기능은 '박테리아를 막는다'는 뜻이에요. 즉, 바이러스 질병인 신종 플루에는 큰 효과가 없답니다. 특히 항균 비누는 자몽 추출물 등 항균 성분이 조금 들어간 비누일 뿐, 의약품은 아니에요. 따라서 항균 비누를 썼다고 방심하지 않도록 주의해야 해요. 신종 플루를 예방하기 위해서는 깨끗한 일반 비누로 자주, 꼼꼼히 손을 씻는 것이 가장 효과적이랍니다.

깨끗~한 손씻기 방법!

❶ 손을 깍지껴서 잘 비벼요.

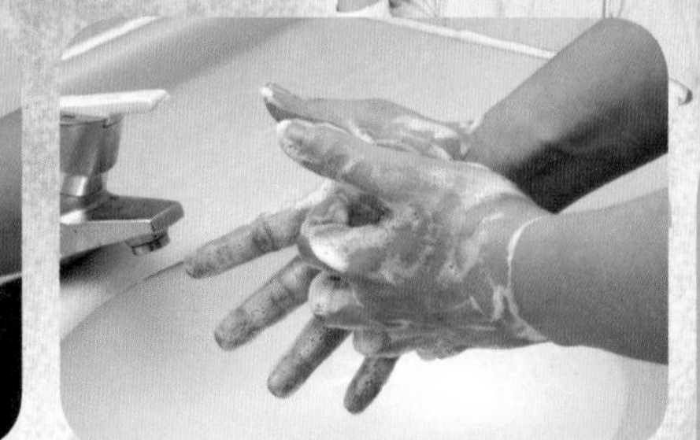

❷ 손금과 손톱 아래를 손톱으로 긁어요.

❸ 엄지손가락을 쥐고 비벼 주세요.

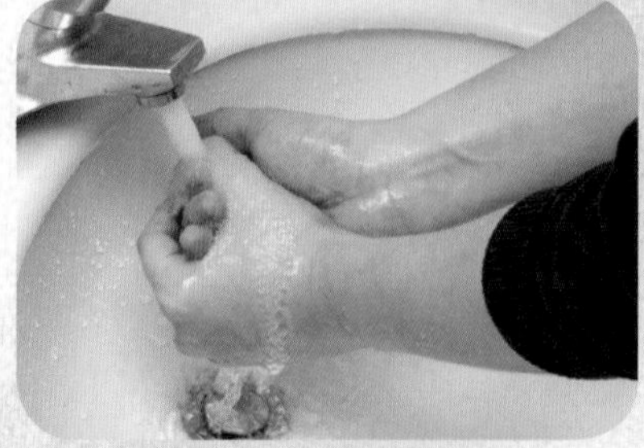

❹ 물로 헹군 뒤 수건으로 닦으면 끝!

공공장소에 설치된 손 소독기에는 알코올의 일종인 에탄올과 과산화수소, 크레졸 등이 들어 있다. 박테리아를 죽이는 효과는 뛰어나지만 바이러스는 제거하지 못하므로, 손을 못 씻을 때 보조용으로만 사용하자.

❸ 바이러스를 꽁꽁! 마스크!

신종 플루는 주로 호흡기를 통해 감염되는 질병이기 때문에 공공 장소에 갈 때 마스크를 쓰면 감염을 효과적으로 예방할 수 있어요. 다른 사람에게 플루를 옮기는 일도 막을 수 있고요.
일반 마스크도 효과가 있지만, 미국 질병통제예방센터나 우리나라의 식품의약품안전청으로부터 인증을 받은 'N95'나 'KF94', 'KF99' 등급 마스크를 쓰면 효과가 더 좋아요.
이런 마스크는 '방역용 마스크'라고 부르는데, 틈이 작아서 0.6㎛ 크기의 고체 입자와 0.4㎛ 크기의 액체 방울을 94~99%까지 막을 수 있도록 만들어졌어요. 신종 플루 바이러스는 크기가 0.08~0.12㎛ 이지만, 대부분 먼지와 같은 다른 작은 입자에 붙어서 이동하기 때문에 방역용 마스크로 막아 낼 수 있답니다.

안전한 마스크 착용법!

❶ 마스크와 얼굴 사이에 틈이 생기지 않도록 주의하세요!

❷ 마스크 표면은 오염돼 있어요. 마스크를 만지면 꼭 손을 씻으세요.

❸ 모든 마스크는 한 번 쓰면 오염이 돼요. 빨아도 소용 없으니 꼭 버리세요.

❹ 일반 마스크를 써도 신종 플루에 감염되거나, 신종 플루를 퍼뜨리는 일을 어느 정도는 막을 수 있어요. 방역 마스크가 비싸서 부담스러우면 방한용 마스크라도 꼭 쓰세요!

GIKO 1200F
Particulate Respirator
NIOSH N95
TC-84A-6037
GANGKAI

* 다음 호에는 '신종 플루 예방 백신의 원리'를 자세히 소개해 드립니다.

지난 줄거리 : 루션 주니어는 자신을 루션 박사로 착각하고 있는 크로크 일당을 속여 루션 박사 일행이 도망칠 시간을 버는 데 성공하지만, 곧 정체가 탄로 나고 만다. 한편, 식물의 섹션으로 향하던 루션 박사 일행은 바실로사우루스의 공격을 받는데….

콰
아
아
아
아야야….
여기가 어디야?
벌
떡
두리번
두리번
흐아아. 여, 여기가
천당이야, 지옥이야?
?!
부시럭
부시럭
푸하학! 퉤퉤,
이끼가 입 안으로 들어
갔어!
우에에에엑!
뭐, 뭐야!
괴물인 줄 알았잖아!
헉
헉
뭐? 넌 완전
골룸 같거든?

박사님!
애니!
아이고, 삭신이야!
다행히 고사리
숲에 떨어졌구나.
으윽,
난 다리를
다친 것
같아.
어디 보자….
이런! 발목이 많이
부었구나!
지니야, 일단
부목과 붕대로 쓸 것을
찾아오렴.
옛, 박사님!
음…, 다들 무사한가?
이, 이럴 수가…! 위니가 안 보여!
위니야,
어딨어?
위니!
위니!
여기 있어요!
여기요!
위니!

!?
헉.
헉.
헉.
이, 이런! 위니!
움직이지 마!
구해 줄게!
무서워!
저 높은 곳엘 어떻게 올라가지?
지니도 없고, 잘못 올라가다가
배가 떨어지기라도 하면
모두가 위험해질 텐데!
기우뚱
꺄악!
위니!

문혜진 추계예술대학교 문예창작과와 한양대학교 국문과 대학원 졸업. 대표작으로는 '노빈손의 계절탐험 시리즈', '노빈손 괴짜 동물들의 천국 갈라파고스에 가다' 등이 있습니다. 상상력을 자극하는 기발한 과학 모험담을 즐기며 활발한 집필 활동을 펼치고 있습니다.

위…,
위니?!
정말
괜찮아?
이게 어떻게
된 거야?
나무 높이가 족히
20m는 돼 보이는데….
몰라. 나도 모르게
땅에 닿는 순간 몸을 돌려
착지했어.
이건
기적이야!
위니! 내 동생,
만세!
흠…, 저건 기적이 아니라
위니가 가진 능력이야.
높은 데서 떨어져서
착지하려면 근육은 물론
평형감각도 뛰어나야 해.
마치 고양이처럼 말이지.
위니는 천부적으로
이 감각을 가지고 태어났어.
휴…. 다행이다,
위니야.
그럼 애니의 발목을
고정시킨 다음
바로 출발하자!
네~엣!

강경효 1988년 만화계 입문. 1993년 EXPO 만화대전에서 입상. 2002년 대한민국 출판만화 대상을 수상했으며, 2006년 태국 어린이도서전 초청작가이기도 합니다. 펴낸 책으로는 '살아남기' 시리즈, '보물찾기' 시리즈, '15소년 어드벤처' 등이 있습니다.

잘 들어, 크로크. 만약 아이들의 유전자를 조합한 새로운 복제 인간이 나타나면 다클은 어떻게 할까?
그야, 그들을 데리고 세계 정복에 나서지 않겠수까?
그럼 오래되고 한참 뒤떨어진 넌 어떻게 될까?
아마 공룡 밥으로나 주려고 할 걸?
고…공룡밥…
허어억! 공룡 밥이라니?! 내가 그동안 다클 박사님께 얼마나 충성했는데…!
충성이라면 나도 한충성 했었거든요?
잘 들어, 크로크. 루션 박사님과 저 아이들은 달라. 그들은 자신들을 함정에 빠뜨렸던 나를 용서해 주고 루션 주니어라는 이름도 붙여 줬어.
그들이라면 크로크, 너도 하나의 생명체로 인정해 주고 도움을 줄거야.
…….
그럼, 어떻게 하면 되겠수까?

근데 웬 고사리가
이렇게 커요?
육지
바다
기후 변화에 따른 것이지.
고생대에 들어서면서 날씨는
따뜻해지고 습도는 높아졌어.
풍부한 산소에 오존층까지
생겨나면서 물 속에서 살던
원시 양치식물이나 이끼류가
땅으로 올라와 번식하게 됐지.
그 과정에서 커진 거란다.
덧붙이자면 쿡소니아,
리니아, 프실로피톤 등이
최초로 지상으로
올라온 식물들이야.
쿡소니아
리니아
프실로피톤

식물도 진화를 했단다.
처음에는 이끼나 고사리 같은 선태식물과
양치식물이 씨 대신 포자를 날려 번식을 했지.
그러다 암술과 수술을 통해 씨앗을 만들어
번식하는 단계로 진화하게 됐단다.
포자
〈포자 번식〉
수술
암술
씨방
씨앗
〈암술, 수술 생식〉
참고로 씨앗을 만드는 식물은 크게
속씨식물과 겉씨식물로 나뉘어.
소나무나 잣나무처럼 씨앗이 밖에 있으면
겉씨식물, 사과나무 같이
씨앗이 씨방 속에 있으면
속씨식물이라네~.
소나무
사과나무
그 정도는 학교에서
배워서 알거든요~.
그나저나…,
우리 루키는
어디에 있는
걸까?
루키….
어? 이 소리는?
?
루키!

애니!
애니!
루키! 어디 있다가 이제 나타난 거야?
다클, 공룡! 공룡!
도망, 도망!
다클 박사에게 도망 나와 익룡한테 쫓기다가 간신히 빠져 나왔다고?
다친 덴 없어? 오~, 가엾은 우리 루키.
우와~대단해!
애니, 걱정 하더니 루키를 찾았구나.
루션 주니어도 무사하다면 좋을 텐데….
누, 누군가 달려오는 소리가 들려요!
박사님! 얘들아! 나야, 나! 주니어!

루션 주니어!
어떻게 빠져 나온
거예요?
그것보다도
박사님!
제가 기막힌 뉴스를
가져왔어요!
기막힌 뉴스?!
속닥 속닥
크, 크로크가?
파닥
크로크만 도와 준다면
무사히 멸종의 섹션을
지나갈 수 있어요!
왜 크로크가
도와 줘야
지나갈 수 있는데요?
그, 그건….

다클 연구실
박사님! 루션과 아이들이 포유류의 섹션에서 사라졌습니다!
뭐, 죽지 않았으면 식물의 섹션으로 갔겠지.
그럼, 다시 잡아올까요?
그냥 식물의 섹션에서 편안하게 즐기다 가라 그래. 어차피 멸종의 섹션에서 다들 멸종하고 말 테니!
그게 무슨 말씀이우까?
너 같은 바보는 들으나 마나야. 이 천재 다클님의 계획을….
툭하면 바보래….
울컥

머리 나쁜 널 위해 특별히 설명해 주마. 멸종의 섹션은 지하에 있는데다 화산, 눈보라, 운석 충돌 같이 바깥 환경이 좋지 않아 원격조정이 되는 자동차로 탐험하게 돼 있지.
출발
도착
또 출구와 입구도 하나씩밖에 없으니 출입구를 막고 내 맘대로 차를 조정해 버리면 그놈들은 나가지도 못하고 꼼짝없이 잡히게 되는 거지.
그…, 그러면 한방에 훅~ 가겠는뎁쇼!
이렇게 간단한 청소 방법이 또 어딨겠어?
역시 다클님은 천재이십니다!
그나저나 새 복제 인간 제작은 계획대로 잘 진행되고 있나?
옙, 이제 거의 완성 단계에 와 있습니다.
우하하하핫!
이제 세계를 발 밑에 두고 호령할 날도 얼마 남지 않았다!

다 왔다!
여기가 멸종의 섹션
입구야!
멸종의 섹션
다들 차에 올라타거라!
근데, 박사님.
정말 크로크를
믿어도 될까요?
글쎄…, 하지만 현재까진
크로크의 도움 말고는
지나갈 방법이
없는 게 현실이다.
이제 복제 인간도 거의
완성됐을 거야. 빨리 여기를
벗어나 라이프코어를
파괴하는 길밖에 없어.
토마스 걱정 마!
잘 될 거라고 생각하면
잘 될 거양!
토마스, 겁나냐?
그럼 여기 혼자
남아 있던가~.
푸후후
하나도 겁
안 나거든!

멸종의 섹션에 들어선 무션 박사 일행. 과연 크로크를 믿어도 될까?

지난 줄거리 : 암행어사 일행은 조선시대의 시한폭탄이라 불리는 비격진천뢰를 이용해 탐관오리를 멋지게 혼내 준다. 또한 마을 사람들이 풍족하게 살 수 있도록 사또의 곳간을 열어 곡식을 모두에게 나눠 주고 다음 마을로 떠난다.

그러니까
먹을 것 좀
작작 밝혀!
따오라고
시킬 땐
언제구요!
티격
태격
훅
꽉 붙잡아!
끌어올려
줄 테니까!

윤승기 일러스트레이터 겸 만화가로 '새내기마녀 퐁키펑키'로 데뷔했습니다. 대표작으로 '프루츠 칵테일', '맘보 파라다이스' 등이 있고, 현재 영챔프에 '바람의 화원'을 연재하고 있습니다.

하지만 내일이 지나면
그 마을도 다시 살기
좋아질 거야.

내일부터?
왜?
아…, 아냐.
아무것도.

이제 그만
갑시다요,
나리!

쑥

뎅그랑
이크!

아…, 하하.
그럼 다시
출발해 볼까?
흠….
아무튼 정말
고마웠다.
조심해서 다녀.
이런 절벽 같은 데
다신 떨어지지 않도록.
아! 난
결이라고 해.
넌 이름이 뭐니?
알 필요 없어.
다음에 이런 데서
또 마주치면
그 땐 절대로
구해 주지 않을
테니까.

뭐?
기다려!
눈치
챘나….
휙
쿠엑!!
콱
착
잉…?
켁!
이게 뭐야?
왜 우리가
줄에 묶여
있는 거지?
아이코~,
목아!
뭐야! 저 놈이
한 짓인가?

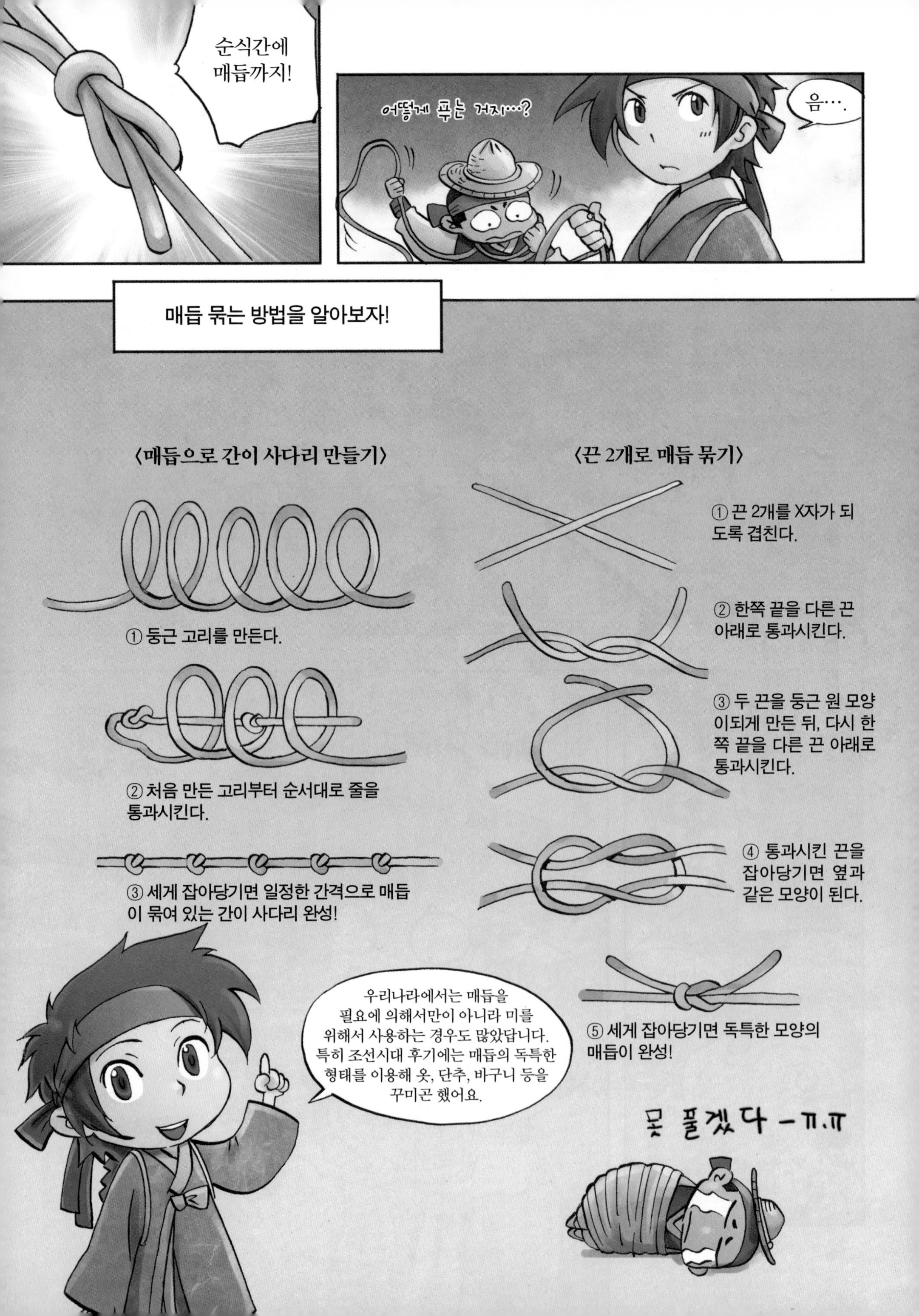
순식간에
매듭까지!
어떻게 푸는 거지…?
음….
매듭 묶는 방법을 알아보자!
〈매듭으로 간이 사다리 만들기〉
① 둥근 고리를 만든다.
② 처음 만든 고리부터 순서대로 줄을 통과시킨다.
③ 세게 잡아당기면 일정한 간격으로 매듭이 묶여 있는 간이 사다리 완성!
〈끈 2개로 매듭 묶기〉
① 끈 2개를 X자가 되도록 겹친다.
② 한쪽 끝을 다른 끈 아래로 통과시킨다.
③ 두 끈을 둥근 원 모양이되게 만든 뒤, 다시 한쪽 끝을 다른 끈 아래로 통과시킨다.
④ 통과시킨 끈을 잡아당기면 옆과 같은 모양이 된다.
⑤ 세게 잡아당기면 독특한 모양의 매듭이 완성!
우리나라에서는 매듭을 필요에 의해서만이 아니라 미를 위해서 사용하는 경우도 많았답니다. 특히 조선시대 후기에는 매듭의 독특한 형태를 이용해 옷, 단추, 바구니 등을 꾸미곤 했어요.
못 풀겠다 -ㅠ.ㅠ

좋다! 날이 밝는 대로 관아로 출두해 사또를 잡아들이도록 하자. 오늘은 밤이 깊었으니 일단 자자!

알겠습니다!

암행어사
출두야!
사또는 나와서
오라를 받으라!
왜 이리
썰렁해.
어서
나와라!
백성들의 눈에서
피눈물을 흘리게 한
죄값을 치르거라!
아…, 저…. 지금은
못 나가오.
이 놈! 무엄하구나!
암행어사를
뭘로 보고!
썩
나와라!
당장 썩 나와
오라를 받지
못할까?
그…, 그게 그렇게
됐소….
어서 썩
나오래도!
와락

두둥
아, 글쎄 나갈 수가 없대도….
아이고, 어사님 오셨습니까….

어찌된 거지?
그러게요.
방 안을 보니 도둑이라도 들었나 본데.
맞습니다. 간밤에….

BYE ~ BYE ~
일지매란 도둑이 들어 싹 털어가면서 저희를 이 모양 이 꼴로 만들어 놨습니다.

네, 그렇습니다. 저 같이 착한 사람이 왜 이런 일을 당하는 건지….
!!

일지매?

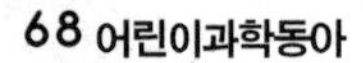

엇! 저 매듭은
어제 그 매듭?
그럼 어제 그 녀석이
일지매?
다 알고있어
이것들아~.
이걸
콱!!
잉~.
아이고
한번만 용서해
주십시요~!
일지매의 정체는 대체 뭐지?
계속

특별기획

요절복통~, 최고의 이그노벨상을 뽑아라!

글 • 김맑아 기자
사진 • 동아일보, 렉스
일러스트 • 김윤재

듣기 좋은 과자가 더 맛있다는 연구? 비스킷을 가장 맛있게 커피에 적셔 먹는 방법에 대한 연구?
이런 연구를 하는 사람이 실제로 있냐고? 놀랍게도 정말 있어! 그리고 이런 연구 중에서 최고의 연구를 뽑아 상을 주기도 한다는 사실, 몰랐지?

그 상은 바로 이그노벨상! 미국의 하버드대학교 과학잡지 '기발한 연구연보'가 만든 상으로, 매년 노벨상 시상식이 열리기 전에 희한하고 엽기적인 연구를 뽑아서 상을 줘. 그래서 '엽기 노벨상'이라고도 해.

아무한테나 준다고? 오우~, 노! 수상 기준은 나름대로 엄격하다고! 공인된 학술지에 실리거나, 연구 결과를 공식적으로 인정받은 연구 중에서 선발하거든!

이그노벨상의 포스터에는 로댕의 '생각하는 사람'이 바닥에 등을 대고 누워 있어. 이는 일상적 사고로는 생각하기 어려운 발상이나 획기적이고 이색적인 생각을 뜻하는 거야! 얼핏 보기에는 사람들을 웃게 만드는 기괴한 연구일지 모르지만, 그 속에는 발상의 전환을 하자는 뜻이 들어 있는 거지.

The 17th First Annual
Ig® Nobel Prize Ceremony
Honoring achievements that first make people LAUGH, and then make them THINK
Thursday, October 4, 2007 7:30 PM
Sanders Theatre, Harvard University
Also featuring...
- This year's theme ... CHICKEN
- World premiere mini-opera: "Chicken versus Egg"
- Win-a-Date-with-a-Nobel-Laureate Contest
- The 24/7 Lectures
- Live webcast
...and more
Inflicted on you by the science humor magazine
Annals of Improbable Research (AIR)
and co-sponsored by
The Harvard-Radcliffe Science Fiction Association
The Harvard-Radcliffe Society of Physics Students
... and the book The Man Who Tried to Clone Himself
And then the winners explain all
Ig Informal Lectures
Saturday, October 6, 1:00 PM
MIT Building 10, Room 250
77 Mass. Ave., Cambridge
Co-sponsored by MIT Press Bookstore
Free admission (but limited seating!)
For more info, see
www.improbable.com

Ig Nobel Prize

얼마나 기발하고 재치 넘치는 상들이 있는지 궁금하다고? 그럼 냉큼 뒷페이지로 고고씽!

1
랭킹 하나

세상에서 가장 냄새나는 연구는?

펭귄 똥이 날아간 거리를 추적하라!

(2005년 유체역학상)

펭귄이 똥 누는 모습을 본 적 있는 사람? 아마 거의 없을 것이다. 그런데 독일, 헝가리, 핀란드의 과학자들로 구성된 연구팀은 펭귄이 똥 누는 것을 연구해 상까지 받았다는데….

연구팀은 펭귄이 둥지 안에서 똥을 '발사' 하듯이 누는 현상을 연구했다. 턱끈펭귄과 아델리펭귄은 둥지에서 알을 돌볼 때 볼일을 보러 둥지를 떠나지 않고, 대신 엉덩이를 둥지 밖으로 내밀어 똥을 눈다. 이 때 똥이 깃털과 둥지를 더럽히지 않도록 최대한 멀리 똥을 발사하는 것이 관건!

연구팀은 펭귄의 키, 항문의 생김새, 똥을 밖으로 뿜어내는 속도 등을 연구해, 항문의 압력이 0.1~0.6기압에 이른다는 사실을 밝혀 냈다. 이 압력으로 똥이 날아가는 거리는 무려 40㎝! 이는 인간보다 최대 8배나 강한 힘이다!

메이어 로초 박사는 "좁은 관에서 뿜어 나오는 액체의 성질을 아는 데 도움이 될 것" 이라고 연구의 의의를 밝혔다. 하지만 과연 얼마나 다른 연구에 도움이 될지는 아직 미지수!

"뽀옹~" 청어가 방귀 뀌는 이유는? (2004년 생물학상)

2004년 생물학상은 청어의 방귀에 대해 연구한 스코틀랜드 해양과학협회 로버트 배티 박사에게 돌아갔다.

청어의 부레는 소화관과 항문에 연결되어 있는데, 청어는 수면 위에서 공기를 들이 삼키고 부레에 보관했다가 항문을 통해 내보낸다. 마치 방귀를 뀌는 것처럼 말이다.

배티 박사가 주목한 것은 청어가 방귀를 뀌는 때와 그 이유! 연구팀은 청어를 수족관에 가두고, 청어가 언제 방귀를 뀌는지를 살폈다. 그 결과, 청어는 생명에 위협을 느낄 때 방귀를 뀌는 것으로 밝혀졌다. 또한 청어가 방귀를 뀔 때는 공기 방울이 항문에서 나오는 독특한 소리가 나는데, 이 소리가 다른 청어들에게 위급 상황을 알리는 '알람' 역할을 한다는 것도 알아 냈다.

방귀로 대화를 하는 청어, 이 대화를 연구한 배티 박사! 둘 중에 누가 더 지저분하고 엽기적일까?

후보3

소똥으로 바닐라맛 아이스크림을 만든다고?

(2007년 화학상)

맛있는 아이스크림과 냄새 나는 소똥. 둘이 무슨 관계가 있을까? 있다~! 그것도 아주 많이!

일본 국제의학센터 야마모토 마유 박사는 아이스크림의 바닐라맛 향료인 '바닐린'을 소똥에서 뽑아 내어 이그노벨상 화학상을 받았다.

바닐린은 원래 식물에 들어 있는 '리그닌'에서 뽑아 낼 수 있다. 하지만 식물에서 리그닌을 꾸준히 얻어 내기가 힘들기 때문에, 많은 사람들이 대량으로 바닐린을 얻는 방법을 연구하고 있다. 야마모토 박사는 소가 풀을 많이 먹기 때문에 소똥 안에는 리그린이 많이 들어 있을 거라고 생각해 연구를 하기 시작했고, 그 결과 소똥에서 바닐린을 얻는 데 성공했다.

소똥으로 만든 아이스크림은 2007년 이그노벨상 시상식에서 선보여졌다. 하지만 이를 어쩌나~? 시상식장에 있던 사람들은 소똥으로 만들어서 꺼림칙하다며 시식을 거절했고, 또한 아이스크림 회사 관계자들도 위생이 걱정된다며 고개를 휘휘~ 내저었다는 소문이….

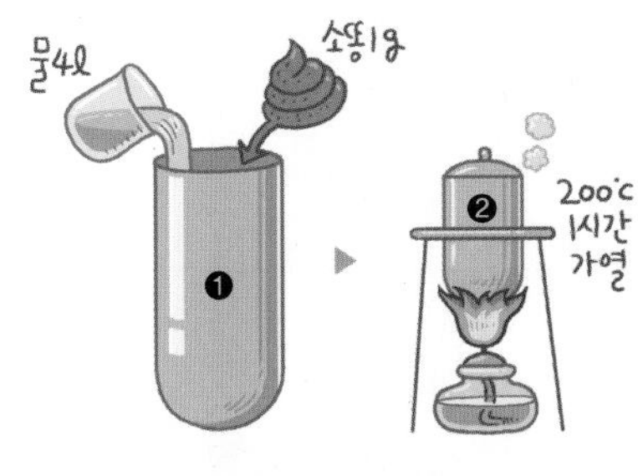

〈소똥 아이스크림 만드는 과정〉

① 스테인리스 튜브에 소똥 1g과 물 4㎖를 넣는다.
② 200℃에서 1시간 동안 가열한다. 150~200℃ 사이에 소똥에서 바닐린 성분이 분리되어 나온다.
③ 1g당 약 0.00005g의 바닐린이 생긴다.
④ 이 바닐린으로 맛있는 아이스크림을 만든다!
*주의 : 바닐린을 얻어 내는 작업은 어렵고 위험한 작업이므로 집에서 소똥을 끓이는 무모한(?) 짓은 하지 말길!

후보4

쇠똥구리도 맛있는(?) 똥을 좋아한다!

(2006년 영양학상)

"전 똥을 즐겨 먹어요!"

똥이 주식인 쇠똥구리. 쇠똥구리가 아무리 똥을 먹는다고 해서 아무 똥이나 먹을까? 오~, 노! 쇠똥구리도 나름 선호하는 똥이 있다는데….

쿠웨이트대학교의 알 후티와 쿠웨이트 환경청의 알 무살람은 쇠똥구리가 똥을 선택하는 기준을 연구해 영양학상을 거머쥐었다.

후티 교수는 쇠똥구리가 가장 좋아하는 똥이 무엇인지를 밝히기 위해 낙타, 양, 개, 말 등의 똥을 수집해 상자에 넣은 뒤, 쇠똥구리를 안에 풀어놓고 관찰했다. 그 결과, 쇠똥구리는 말의 똥을 가장 좋아하는 것으로 밝혀졌다. 후티 교수는 그 이유로 "말의 똥에 쇠똥구리가 좋아하는 끈끈한 액체가 가장 많이 들어 있기 때문"이라고 설명했다.

똥을 먹고 살지만 나름대로 까다로운 입맛을 갖고 있는 쇠똥구리, 그리고 각 동물의 똥을 수집해 연구실을 가득 채운 과학자! 둘 다 만만치 않게 독특하고 엽기적인 듯!

I LOVE 말똥~!!

편식! 골고루 먹어야지!!

2 랭킹 둘

가장 몸을 사리지 않는 연구는 무엇?

후보1

꿀꺽~, 칼을 삼키는 연구? (2007년 의학상)

연구를 위해 칼을 직접 삼키는 과학자가 있을까? 있다! 바로 영국 브라이언 위트콤 교수와 미국의 댄 마이어 교수! 이 두 교수는 '칼 삼키기 재주의 부작용'이라는 연구로 의학상을 받았다.

이들은 16개국의 칼 삼키기 재주꾼 110명을 조사해, 마음이 심란한 상태에서 칼을 삼키거나 관중을 위해 지나치게 재주를 부릴 때 내장에 상처를 입을 확률이 높다는 사실을 알아 냈다.

마이어 교수는 시상식에서 직접 칼을 삼키는 시범을 보이는 깜짝 이벤트를 벌이기도 했다. 그야말로 연구를 위해 몸을 아끼지 않는 '살신성인'의 자세를 몸소 보여 준 것!

그런데 이들의 연구가 그저 위험하기만 한 걸까? 실제 두 사람은 칼이 예상 외로 목에 깊이 들어간다는 사실을 밝혀 냈다. 또 상당수의 칼 삼키기 재주꾼이 '검도염' 이란 독특한 병을 앓는다는 사실도 알아 냈다. 이만하면 몸을 내던진 의미가 있지 않을까?

후보2

딸꾹질엔 OO 마사지가 제격! (2006년 의학상)

72시간 동안 계속 딸꾹질하는 사람을 치료하는 방법은?

미국 테네시의과대학교 프랜시스 페스미어 박사는 이 환자를 치료하기 위해 혀 잡아 빼기, 눈알 누르기 등을 시도했다. 그러나 모두 실패하고 결국 항문에 손가락을 넣어 직장을 마사지하는 방법으로 환자의 딸꾹질을 멈추게 했다.

딸꾹질은 *미주 신경의 지배를 받는 횡경막에 경련이 일어나 생긴다. 즉 딸꾹질을 멈추기 위해서는 미주 신경을 자극하면 된다. 혀를 잡아 빼거나 눈을 누르는 것이 이 신경을 자극하는 방법이고, 가장 효과가 뛰어난 것이 항문 마사지였던 것!

아무리 애를 써도 멈추지 않는 딸꾹질을 하고 있다면 페스미어 박사의 방법을 써 보는 건 어떨까? 대신 마음의 준비는 두둑히 해 두어야 할 듯!

*미주 신경 : 운동과 지각에 관여하는 뇌신경의 일종.

후보3

시럽 속에서 헤엄쳐 봤니? (2005년 화학상)

미국 미네소타대학교 에드워스 커슬러와 브라이언 게틸핑거는 물과 끈적거리는 액체 속에서 수영할 때 속도에 차이가 있는지를 연구했다. 두 사람은 캠퍼스에 있는 수영장 2개를 빌려 한쪽에는 물, 다른 쪽에는 *구아검 가루를 물에 섞어 넣었다.

연구 결과, 수영 속도에는 큰 차이가 없는 것으로 나타났다. 끈적거리는 액체가 몸을 앞으로 나아가지 못하게 하지만, 손을 내뻗으며 앞으로 갈 때 더 잘 받쳐 주기 때문이다. 커슬러 교수는 "별로 쓸모없는 연구였다" 고 털어놨다. 하지만 분명 이런 연구도 언젠가는 쓸모가 있을 것이다. 그런데 정말 쓸모가 있을까…?

*구아검 : 천연 고무의 일종으로 물에 녹이면 시럽처럼 끈끈하게 변한다.

가장 인내심이 필요한 연구는 무엇?

후보1

떨어져라~, 떨어져라~! 10년째 기다리는 중! (2005년 물리학상)

이보다 더 인내심이 강한 연구가 있을까? 2005년 물리학상은 1세기에 걸쳐 연구를 계속해 온 의지의 과학자, 호주 퀸즈랜드대학교 존 메인스톤과 토마스 파넬 박사가 받았다.

이 연구팀은 원유를 정제할 때 나오는 찌꺼기인 타르가 얼핏 고체처럼 보이지만 실제로는 액체라는 것을 증명하기 위해 1927년부터 실험을 시작했다. 깔때기에 부은 타르가 밑으로 떨어지는지를 관찰했는데, 8년이 지나 처음으로 타르 한 방울이 떨어졌고 다시 9년 만에 두 번째 방울이 떨어졌다. 2000년에 연구를 이어받은 메이스톤 박사는 8번째 방울이 떨어지는 것을 확인했고, 현재 9번째 방울을 기다리고 있다.

일단 방울이 떨어졌으니 타르가 액체라는 사실은 증명됐다! 하지만 메이스톤 박사는 앞으로 더 지켜볼 예정이라고 한다. 과연 메이스톤 박사의 인내심의 끝은 어디일까?

보여? 안 보여? 벼룩의 높이뛰기를 재라! (2008년 생물학상)

평균 몸 길이가 2~4㎜인 벼룩을 무한한 인내심을 가지고 연구한 과학자가 있다.

프랑스 툴루즈 국립수의대 마리크리스틴 카디에르게 교수는 '개에 기생하는 벼룩과 고양이에 기생하는 벼룩 중에 누가 더 높이 뛰나'를 밝혀 2008년 생물학상을 받았다.

연구팀은 벼룩을 투명한 관에 넣어 얼마나 높이 뛰는지를 관찰했다. 그 결과 개와 고양이의 벼룩은 각각 평균 30.4㎝, 19.9㎝를 뛰어, 개 벼룩이 고양이 벼룩보다 10㎝ 정도 더 높이 뛴다는 사실을 알아 냈다.

벼룩은 보통 기생해서 살고 있는 동물이 빠르게 움직여 자신이 떨어질 위기에 놓이거나, 그 동물이 죽었을 때, 다른 동물로 옮겨 타기 위해 뛴다.

연구팀은 개의 벼룩이 고양이의 벼룩보다 왜 높게 뛰는지는 아직 밝혀 내지 못했다. 하지만 잘 보이지도 않는 수십 마리의 벼룩이 뛰는 높이를 잰 무한한 인내심만큼은 박수를 쳐 주고도 남을 일인 듯!

나!! "개"에서 뛴 벼룩이야!!

헉!

두둥~, 2009년 영예의 이그노벨상 수상작을 발표합니다!

10월 1일 미국 하버드대학교 샌더스극장에서 2009년의 이그노벨상이 발표됐다! 올해 이그노벨상 시상식에는 '진짜' 노벨상 수상자도 9명이나 참가해 사뭇 진지한(?) 분위기를 띠었다는데…. 과연 어떤 기발한 연구들이 상을 받았는지 함께 보자.

공중보건상

어디서나 간편하게! 브래지어 방독면

올해 이그노벨상의 최대 화제는 바로 브래지어 방독면! 우크라이나 예레나 보드나르 박사는 체르노빌원자력발전소 폭발 사고 당시 많은 사람이 고통을 받은 데서 착안, 언제 어디서나 사용할 수 있는 '브래지어 방독면'을 개발했다.

보통 브래지어에는 폭신한 패드가 들어 있는데, 브래지어 방독면의 패드에는 필터 기능이 있다. 이 필터로 공기는 통과하되, 생화학 물질은 통과할 수 없도록 한 것! 브래지어를 입에 착용한 뒤, 브래지어의 끈으로 머리에 고정시키면 완벽한 방독면으로 변신 완료!

보드나르 박사는 "브래지어는 두 개의 컵으로 이뤄져 있어서 위급한 상황이 닥치면 하나는 자신이 쓰고, 나머지 하나는 다른 사람을 위해 나눠 줄 수 있다"고 밝혔다. 이제 남자들은 방독면이 필요한 위급 상황이 닥치면 일단 여성을 찾아야 할 듯?

수의학상

내 이름을 불러 줘~! 이름 불린 젖소가 우유를 더 많이 만든다

수의학상의 영광은 영국 뉴캐슬대학교 캐서린 더글라스 교수에게 돌아갔다. 더글라스 교수는 목장 주인의 행동이 젖소에게 어떤 영향을 주는지 알아보기 위해 516명의 목장 주인을 조사했다. 그 결과, 90%의 목장 주인이 젖소에게 이름을 불러 주는 등 젖소에게 깊은 관심과 애정을 쏟고 있었다. 그리고 이러한 행동을 보이는 목장 주인이 기르는 젖소는 그렇지 않는 목장 주인의 젖소보다 더 많은 우유를 생산해 낸다는 점이 밝혀졌다.

이름만 불러도 우유가 펑펑 쏟아지는 비법을 밝혀 낸 더글라스 박사에게 목장 주인들이 공짜 우유 시식권이라도 줘야 하지 않을까?

똥이라면 얼마든지
줄 수 있지!
내 똥 필요한 사람
손 들어~!

생물학상

판다 똥은 음식 쓰레기 분해하는 데 특효약?

펭귄의 똥이나 소똥 등 이그노벨상에서 빠질 수 없는 똥 연구! 올해도 어김없이 똥 연구에 이그노벨상이 돌아갔다. 그 영광의 주인공은 바로 판다의 똥을 연구한 일본 기타사토대학교 의학대학원생 다구치 후미아키!

후미아키는 판다의 똥에서 다섯 종류의 박테리아를 분리해, 이 박테리아들이 45~60℃에서 잘 자라며, 당, 지방, 단백질을 분해하는 효소들을 만들어 내는 특징을 갖고 있다는 걸 알아 냈다. 후미아키 씨의 연구에 따르면 이 효소들을 채소, 생선 등 음식물 쓰레기에 뿌려 주면 쓰레기가 최대 96%까지 분해되는 결과를 얻을 수 있다고 한다.

버려지는 똥으로 음식물 쓰레기를 처리할 수 있다니, 이것이야 말로 '꿩 먹고 알 먹는' 일석이조의 놀라운 연구가 아닐 수 없다! 그런데 도대체 판다 똥은 어디서 구하지…?

홈페이지에 댓글로
최고의 이그노벨상을
뽑아 줘! 뽑힌
친구들에게는 선물이
펑펑!

이 외에 빈 맥주병이 맥주가 든 병보다 더 치명적이라는 연구를 한 스위스 베른대학교 스테판 볼리거 교수가 평화상을, 임신부가 어떻게 넘어지지 않고 균형을 유지하는가를 연구한 미국 하버드대학교 연구팀이 물리학상을, 데킬라를 이용해 그럴 듯한 다이아몬드를 만드는 법을 연구한 멕시코 국립자치대학교 연구팀이 화학상을 각각 수상했다.

2009년에도 모두의 기대를 저버리지 않는 기발하고 놀라운 연구로 우리를 즐겁게 해 준 이그노벨상 수상자들. 이들에게 뜨거운 박수를 쳐 주자. 얼핏 보기엔 웃고 넘길 수 있는 가벼운 연구처럼 보일지 모르지만, 그 속에는 과학을 향한 열정과 더 나은 연구를 위한 피나는 노력이 숨어 있으니깐 말이다!

Ig Nobel Prize

수학영웅
피코
나무의 높이를 어떻게 구하지?
시끌 시끌
우왕 좌왕
…….
제8화
그림자 놀이와 나무의 높이
글 고선아 만화 홍승우
스윽
저…, 저것은?!
거대한…, 거대한…!
아~, 눈부신 햇살! 오늘은 진딧물을 낼름 잡아먹기 딱 좋은 날씨야~.
?

지난 줄거리 : 피코와 베짱각은 우연히 정원에 핀 꽃을 보며 도형을 찾아 낸다. 그런데 사실 이 곳은 수학영웅을 찾기 위해 롱 선생이 만든 수학의 정원. 곧이어 아토와 로미 일행까지 수학의 정원으로 오자 드디어 나무의 높이를 구하라는 문제가 주어지는데….

후후….
인생은
아름다워~.
두근
어머! 아토가…,
살짝 멋있으려고 해!
룽 선생님이 낸 문제를
풀 생각은 안 하고,
롱코트에 낙엽이라니…. 칫!
후후
난 저런 애들이
정말 짜증나.
어쨌거나….
척
어서 저 나무를
구해야 할 텐데.
뭐야? 그러면서
아토를 따라하잖아!
게다가
잰 뭘 구해야
하는지도
몰라.
후후… 즐거워…
나무를 구하는 게 아니라
나무의 높이를 구하는 거야, 바보!
아토보다 내가
낙엽을 더 많이
뿌릴 거다!
촤
촤
촤
질 수
없다!
둘 다 나무의
높이 구하기엔
관심이 없군.

피유~
?!
드르렁~.
피유~.
피코!
이 상황에서
한가하게 낮잠이
오냐?
진짜 열 받아!
나무를 구해야
다음 관문을
통과할 수 있는데
낮잠을 자?
좌좌좌좌
나무의 높이를
구하는 거라니깐!
좌좌좌좌
일어나~.
피유~.
일어나!
일어나!
간질 간질
질굴질굴
일어나~.
독종이다.
쳇! 쟬 깨우느니
그 사이에 수학적으로
문제를 풀겠어.
주욱

스륵
스륵
척
스륵
어디 가?
아토!
야!
헉!
야아아아
팍
멋지다,
아토!
장대높이뛰기로
나무에 올라가
끈으로 길이를
재려는 거군!

뚝
하하~,
아토는
너무 멋져.
개그 본능도
뛰어나.
바르르~
아~, 실은 나무 높이를
재려던 게 아니라
우리에게 웃음을 주려고
그랬던 거구나?
하하. 마…, 맞아.
그걸 어떻게
알았어?
너희들이
문제 푸느라
머리 아플까 봐
식혀 주려고
그런 거야.
벌떡
절대 아님.
너 같은 바보짓은
생전 처음 본다!
끄억
끄억
그렇다고
너무 심하게
웃진 마!
많이 아프지?
연고 발라 줄게.
호~.
….
야아~아

픽
와!
와! 멋지다!
팍
나무를
잡았어!
!
?
오….
돌기
호~.
나는 왜
연고 안 발라 줘?
왜? 응? 왜!
왜 응? 더 아픈데,
응?

아~ 함~
잘 잤다~.
야, 피코. 우리가 애쓰고 있는 사이 넌 잠만 자고! 시간이 엄청 흘렀어. 내 그림자 길어진 것 좀 보라구!
!
오잉?
눈꼽
아싸라비아 콜롬비아! 그림자 놀이!
그림자…, 놀이?
아토의 키는….
?
아토의 그림자 길이는…. 그래! 그림자가 키의 딱 반이네!
?

홍승우 '정보통 사람들'로 본격적인 시작. 펴낸 책으로는 '비빔툰 1~5권'과 '야야툰' '만화 21세기 키워드 1, 2, 3권' '소년 파브르의 곤충모험기' '다운이가족의 생생탐사 1, 2, 3권' '녹색전사 에코'가 있습니다. 오늘의 우리만화상, 한국출판만화대상 출판상을 수상했습니다.

태양의 움직임에
따라서 그림자 길이가
달라지잖아.
응.
그런데 지금 네 그림자가
네 키의 반이었잖아.
응!
1
1/2
그러니까 같은 시간,
나무의 그림자도
나무 높이의 반일
거라고 생각했어.
1/2
1
1/2
1
오옷! 지니어스!
어떻게
그런 생각을!
정답이다,
피코!
잘 했다~.
짝퉁
여왕!
컥! 어쪼케
알았쪄?
허접한
변신.
수염 좀 떼고
나타나시던가….

오~, 이런 원리가….
이런 비례식이 세워지므로, 나무의 그림자 길이를 알아 내면 그 두 배가 나무의 높이가 되는 거지.
아토의 키 : 아토의 그림자 = 나무의 키 : 나무의 그림자
2 : 1
2 : 1
2
2
1
1

로미양, 이번에는 지팡이를 세 번 두들겨라!
엥? 또요?
그러죠, 뭐. 하나, 둘, 셋!
두들기랬지, 패대기치랬냐?
두드린 자리에 새싹이 돋았어.
뿍
….

으악!
콰앙
꺄아아
아니 이게
도대체
무슨 일이래?
나도 몰라!
덩쿨 담장…?
로미~, 내 사랑
어딨소?
나 뒈짱각이
당신을 찾고 있소~.
쿵!
와우! 똑똑한 피코! 그런데 이 담장은 또 뭘까?
계속

이상하네.
오밤중에
뭐 하는 거지?

정통 과학학습만화

최강! 꼴찌전설

몰래 갖다 놓는
폼이 마치….

제13화

분자파크에서 신나는 데이트를!

글 김맑아 그림 김선영
콘텐츠 김형근(서울 신계초 교사)

지난 줄거리 : 오랜만에 예전 학교 친구들과 만난 최강. 최강은 자기도 모르는 사이 과학과 친해진 자신을 발견하게 된다. 한편 최강은 루미 방에서 가져온 설계도를 돌려 주러 루미의 방에 몰래 가고, 생물 선생님이 이를 우연히 엿보게 되는데….

김선영 일러스트레이터 겸 만화가로 '어린이과학동아'에 '해리포털의 과학마법학교'를, 동아일보 수리수리논술이에 '신나는 창의논술' '유레카노트'를 연재했습니다.

덥석
긴급 상황이야. 따라와!
긱
어라?
질질질

이야~, 이거 뭔가 재밌는 사건이 일어난 모양인데….
따라가 볼까?
탁

오호~! 꼬리에 꼬리를 무는 미행이라니…. 이렇게 미스터리할 수가!
따라가 볼까?

질질질

분자파크
분재파크
어디 보자.
쪽지에….
어?
분자파크다!
그럼
왼쪽이네.
재미있겠다!
휘익
분자파크
헉!
베리베리 웰컴!
눈 빠지게
기다리고
있었어요!
오늘은 분자파크의
무료 입장날!
신나게 놀아 봐요!

우와~!
신기한 놀이기구
엄청 많아!
툭툭
그럼요!
분자파크는
여러분의
친구랍니다!
툭툭
완전
짱이야!

자~, 그럼 즐거운
시간 보내세요!
바이
바이
바이
바이
크핫! 재밌는
아저씨야.
앗!
여기 좀 봐!
Jump
Jump
3가지
선물

이게 선생님께서
말씀하신 3개의 물
건인가 봐.
오호~,
어서 들어가
보자!
3가지
선물
한편,
분재파크에선….
분재파크
얘들이 언제쯤
오려나…?

두둥
건들
건들
우와~,
높다!
저기 꼭대기에
상품이 있어!
나한테
맡겨 줘!
이쯤이야
식은 죽
먹기지!
척
척

루미!
날 보라고!
잡았다!
슬쩍
히잇~!
이쯤이면 루미가
감탄했겠지?

엥?
음….
흥미로운 구조야.
이건 마치….
두리번
두리번
어서
다음 방으로
가 보자!
후다닥
같이 가!
제발!
아!
역시!
그래!
이거야, 이거!
으핫핫핫~!
둥실
상품!
예~, 마님.
털떡
털떡
날 완전히
잊고 있어.
그리고 한편….
멍청이!
미행하다가
이게 무슨 꼴이야?
살려줘요~

각
각
킥킥..
철컥
10월 15일 녹음자 황태준. 분자파크에서 녹음 시작!
쓱
최강과 루미를 미행하던 앙드레 아저씨가 물체들 사이에 엉덩이가 끼였다.
에잇 짜증나
살려주요 아가씨~
과연 링링은 앙드레 아저씨를 구해 줄 것인가, 말 것인가?
아무래도 사악한 링링은 버리고 갈 것만 같다.
이상 녹음 끝.
UFO
헤에~.
여기 또 삼천포 빠진 한 사람
인간에는 누구나 외계인의 DNA가 있다!
아으~, 힘들어! 왜 선생님은 이런 심부름을 시키셨지?
헉헉
헉헉
묻지도 말고 따지지도 말고 세 번째 방으로 돌격!
내 추측이 맞다면, 아마 이 방엔 가장 활발한….
딸각
꺄악

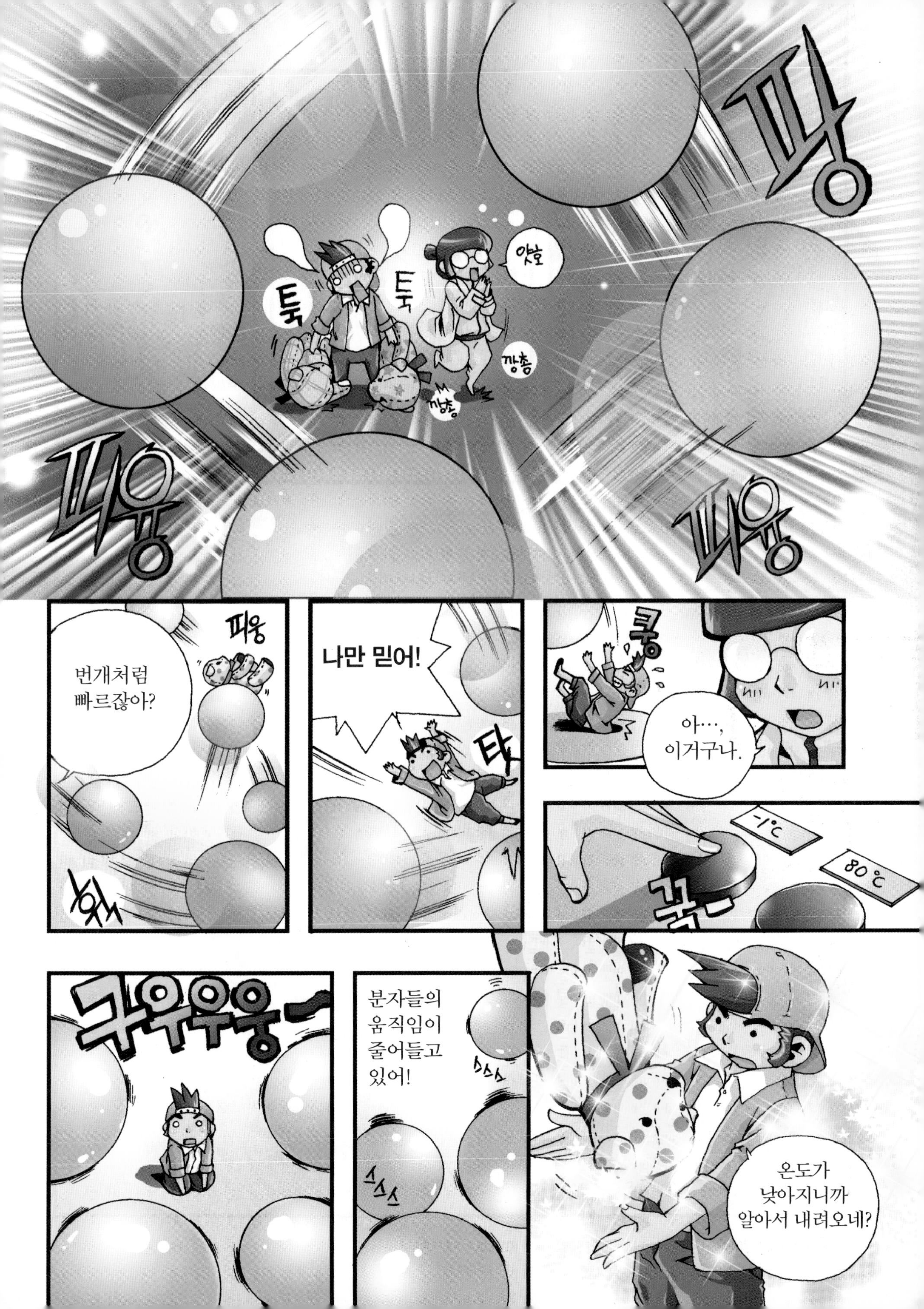

팡
툭
툭
앗호
깡총
깡총
파융
파융
피융
번개처럼 빠르잖아?
나만 믿어!
타
쿵
아…, 이거구나.
-1°C
80°C
꾹
구우우웅~
분자들의 움직임이 줄어들고 있어!
스스스
스스스
온도가 낮아지니까 알아서 내려오네?

전격 공개!
전설과학초의 핵심 비법

관련교과 초등 4. 열에 의한 물체의 부피 변화
중등 1. 물질의 3가지 상태

물질의 상태를 결정하는 것은?

물질의 상태를 결정하는 것은 열! 열을 받거나 내보내면 온도가 바뀌고 고체, 액체, 기체의 상태가 바뀐다. 물질이 열을 받으면 분자 운동이 빨라지고, 분자들 간의 거리는 멀어진다.

고체, 액체, 기체의 상태 변화

기화
액체 상태인 물감에서 물이 기체가 되어 날아간다.

승화
무대에서 나오는 뿌연 연기는 고체인 드라이아이스가 곧바로 기체가 되면서 열을 빼앗아, 주위의 수증기가 작은 물방울로 변한 것이다.

액화
추운 겨울날 창문에는 수증기가 물이 되어 맺힌다.

승화
몹시 추운 날에는 공기 중의 수증기가 고체인 서리로 된다.

응고
양초에서 녹아 내린 촛농은 아래로 흘러내려 식으면서 굳는다.

융해
초콜릿을 뜨거운 곳에 놓아 두면 녹는다.

어둑어둑
고체, 액체, 기체 순서대로 분자가 덜 빽빽한 이유가 온도 때문이었구나?
응. 온도가 높아질수록 분자 간의 거리가 넓어지지.
에이~, 난 그것도 모르고 죽자사자 뛰어다녔잖아! 하. 하. 하~.
아냐! 내가 더 놀랐어!
내가 워낙 운동치라서 말야. 대단했어, 최강!
헉! 칭찬 받았다!
푸학
그…, 그래! 절호의 기회를 그냥 보낼 순 없지. 좀 더 같이 있을 구실을 찾아야 해!
아~, 그런데 말이야. 아까 온도가 높아지면 분자 간의 거리가 멀어진다고 했잖아.
머뭇
이해가 잘 안 돼서 그러는데, 좀 더 구체적인 예가 없을까?
음….
아, 그래! 저거면 설명되겠다!
?
따라와!

우와~!
바로 이게 공기를 데워서 위로 뜨게 만드는 열기구야.
화르륵
오!
온도를 높이면 주머니 속 공기 분자들의 움직임이 빨라지고, 분자들 사이의 거리가 멀어지면서 부피가 커져.
따뜻해
그리고 부피가 커지면 주머니 속 공기의 밀도는 처음보다 낮아져.
그래서 주머니가 위로 뜨게 되는 거야.
도대체 뭔소린지….
역시! 그래서 그랬구나!
하하
하하
간단하지?
그러게! 핫. 핫. 핫!
하하
그래도 행복해!
너 때문에 시간만 허비하고 다 놓쳤잖아!
우엥~.
불행한 한사람

잉? 허필교 박사는 루미의 아빠인데?

진짜기자 명예기자

真記 진기명기 名記

안녕? 나는 변신의 여왕, '유리' 야. 투명한 피부, 매끈한 몸매에 능력은 또 어찌나 뛰어난지! 집에서는 컵, 그릇 등으로, 밖에서는 건축재, 휴대전화 액정 화면 등 내가 없는 곳이 없어. 게다가 요즘은 예술작품으로도 활약 중이라 더 바빠. 뭐? 유리로 된 예술작품을 본 적이 없다고? 눈으로 직접 확인하기 전까지는 못 믿겠다고? 좋아! 그럼 명예기자 한미와 나연이가 대표로 따라오도록! 내가 확실히 보여 주겠~어!

글 • 이화영 기자 | 사진 • 윤신영 기자, 유리조형연구소
명예기자 • 윤한미(대전 송촌초 6), 김나연(인천 용현남초 6)
도움 • 유리조형연구소

유리의 놀라운 변신

김나연 기자

윤한미 기자

여왕님, 여기가 어디예요?

호호~. 유리조형연구소야. 남서울대학교 유리조형학과 학생들과 교수님, 작가분들이 유리를 이용해 각종 예술품을 연구하고 만드는 곳이지.

유리로 예술을 한다고요?

유리는 돌이나 철, 납과는 달리 빛과 색이 통과하는 물질이야. 그래서 그 빛과 색만 조절해도 상상을 초월할 정도로 다양하게 변신할 수 있단다. 아주 훌륭한 예술 재료인 셈이지. 그럼 유리로 만든 작품을 같이 한번 볼까?

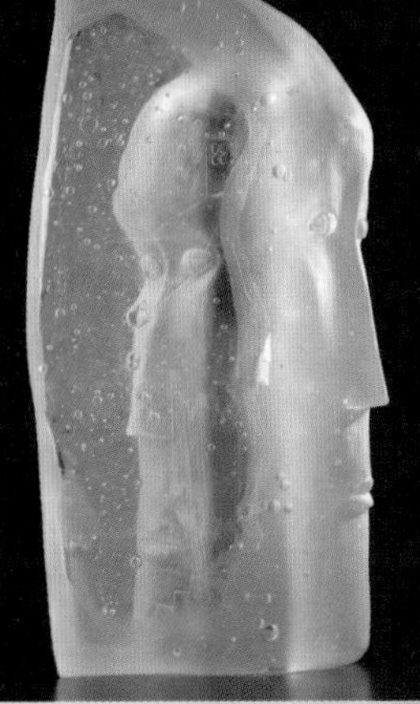

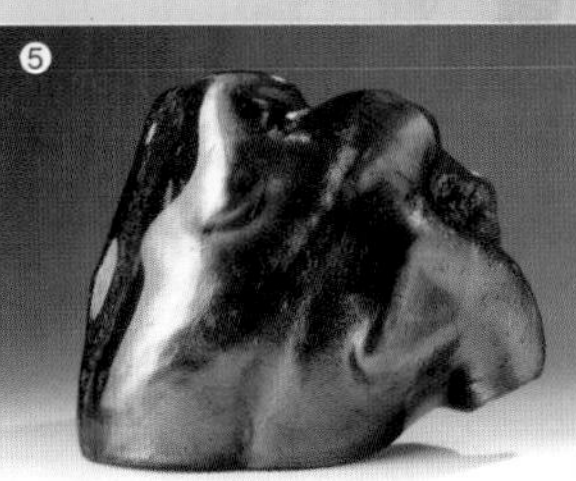

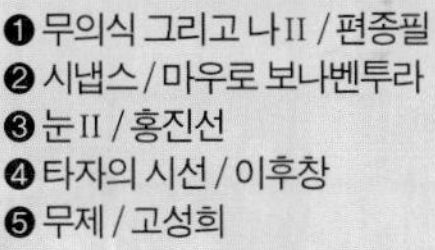
❶ 무의식 그리고 나II / 편종필
❷ 시냅스 / 마우로 보나벤투라
❸ 눈II / 홍진선
❹ 타자의 시선 / 이후창
❺ 무제 / 고성희

❻ 5가지 향기의 병 / 닉 마운트

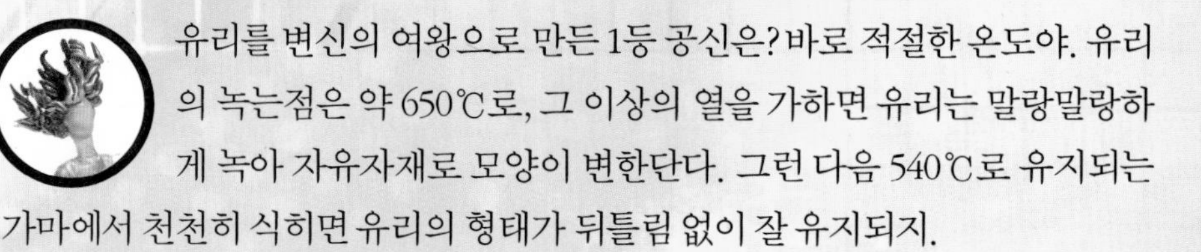

유리를 변신의 여왕으로 만든 1등 공신은? 바로 적절한 온도야. 유리의 녹는점은 약 650℃로, 그 이상의 열을 가하면 유리는 말랑말랑하게 녹아 자유자재로 모양이 변한단다. 그런 다음 540℃로 유지되는 가마에서 천천히 식히면 유리의 형태가 뒤틀림 없이 잘 유지되지.

두 번째 공신은 다양한 기법! 녹은 유리를 틀 안에 붓거나 유리에 바람을 불어넣어 모양을 만드는 등 다양한 기법이 있어. 그 중 '램프워킹'이라는 기법은 1300℃의 불을 내뿜는 *토치에 유리봉을 녹여 성형하는 방법이야. 함께 해 볼까?

*토치 : LPG 가스와 액화산소를 원료로 불을 내뿜는 기구.

> 유리봉을 돌려가며 녹여야 중력에 저항하는 원심력이 생겨 유리봉의 끝이 처지지 않아요. 이 때 핀셋과 유리봉의 앞쪽은 불에 의해 달궈져 뜨거우니 조심해야 해요. 보호안경은 토치에서 나오는 자외선으로부터 눈을 보호해 주지요.
>
> 이후창(유리조형연구소 연구원)

나뭇잎 모양의 목걸이 펜던트 만들기

준비물 : 붕규산 유리봉, 토치, 보호안경, 핀셋, 칼, 흑연판

❶ **유리봉 녹이기 :** 유리봉을 돌려가며 토치에 녹인다.

❷ **나뭇잎 모양 만들기 :** 녹은 유리봉의 끝을 칼의 옆면으로 눌러 반달모양으로 만든 뒤, 끝을 핀셋으로 잡아당긴다.

❸ **잎맥 만들기 :** 나뭇잎 모양의 유리에 열을 가한 뒤, 칼집을 내 잎맥 모양을 만든다.

❹ **다른 유리봉과 연결하기 :** 다른 유리봉의 끝을 불로 녹여 잎사귀 끝에 붙인다.

❺ **원래 유리봉 분리시키기 :** 원래 유리봉과 나뭇잎 펜던트 사이에 열을 가해 서로 분리시킨다.

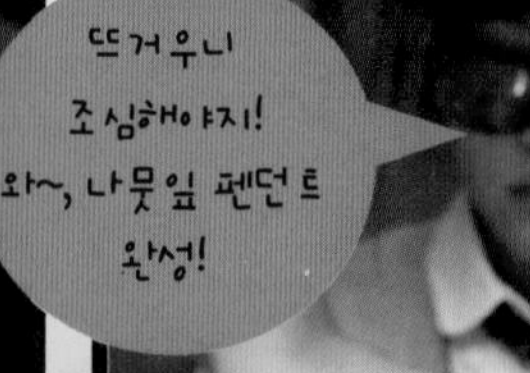

❻ **펜던트 고리 만들기 :** 원래 유리봉과 연결돼 있던 나뭇잎의 끝 부분을 불에 녹인 뒤, 핀셋으로 당겨 고리를 만든다.

유리를 변신하게 만드는 또 다른 기법 중에 '블로잉'이 있어. 불대로 공기를 불어 넣으며 유리의 모양을 만드는 것으로, 아마 TV에서 많이 봤을 거야. 전문가의 시범을 볼까?

블로잉 기법

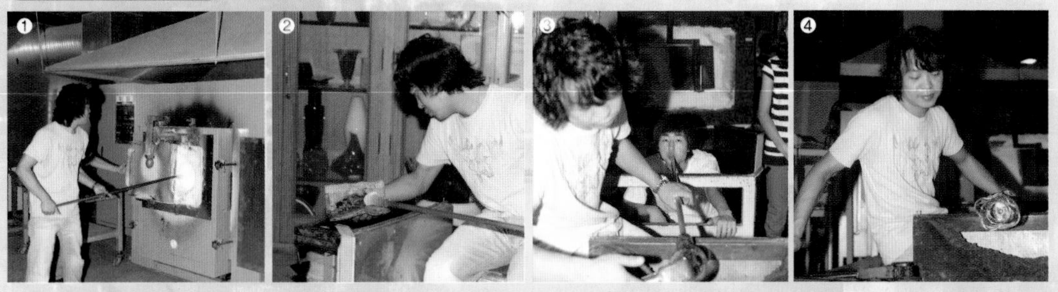

❶ 불대(블로우 파이프)를 용해로에 넣어 액체 유리를 묻힌다.
❷ 차가운 물에 적신 신문지나 둥글게 파인 나무토막을 이용해 액체 유리를 둥그런 형태로 만든다.
❸ 불대의 끝으로 바람을 불어 넣는다.
❹ 열을 가한 뒤 유리의 윗부분을 집게로 펴서 원하는 모양을 만든다.

앗! 유리가 끈적끈적한 물엿 같아요. 조형에 쓰이는 유리는 일반 유리와 다른가요?

이상민
(유리조형연구소 소장)

일반적으로 우리가 쓰는 유리는 규사, 탄산나트륨, 탄산칼슘 등을 고온으로 녹인 후 냉각한 거예요. 이 상태에서는 약간만 불에 닿아도 금이 가거나 터질 수 있지요. 그래서 조형에서는 고체 유리를 900℃ 이상의 열로 가열해 액체로 만들어 작업을 해요. 하지만 여러분이 펜던트를 만들기 위해 썼던 붕규산 유리는 일반 유리에 비해 녹는점이 200~300℃ 정도 높아 열에 강해요. 그래서 1300℃까지 올라가는 토치를 이용해도 유리가 변형되거나 깨지지 않는답니다.

어때? 이제 나를 예술작품으로 인정하겠지? 예술작품으로 새롭게 태어난 유리에게 앞으로도 많은 관심 부탁해!

유리 여왕! 앞으로 더 다양하고 예쁘게 변신하는 모습, 기대할게!

변신의 여왕, 유리를 만나는 법

유리조형연구소는 매년 6월 국내외 유리조형 작가들을 초청해 일반인들을 대상으로 체험 행사를 하고 있다. 이번 12월 16일에는 서울 인사동 관훈갤러리에서 유리조형 전시회를 갖는다.

- **문의 : 유리조형연구소** 041-580-2218
- **홈페이지 :** www.glass-center.co.kr

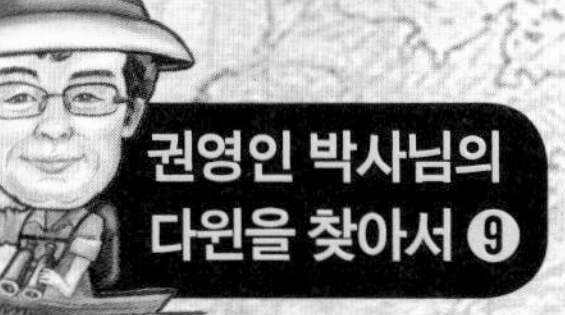

다윈 전망대를 품은 푸에르토 데세아도에 가다

권영인 박사님이 이번에는 아르헨티나 남부 해안가에 도착했어요. 찰스 다윈은 1833년 12월 23일에 이 곳에 도착해, 독특한 모습의 바위와 기암절벽에 깊은 인상을 받았다고 해요. 다윈이 보고 듣고 느낀 것을 권영인 박사님을 통해 알아봐요.

글/사진 • 권영인(자원탐사 전문가)
일러스트 • 조정아
진행 • 김맑아 기자

❶ 다윈이 도착할 당시 스페인 정착지가 있었던 자리에서 바다를 바라본 풍경.
❷ 다윈 항해기에 들어 있는 그림. 그림 속 산기슭이 위 사진 속 풍경과 비슷하다.

다윈은 비글 호 항해기에 '데지레'라는 마을을 찾아갔다고 썼다. 그 곳을 가기 위해 지도에서 '데지레'라는 지명을 찾았지만 눈에 띄지 않았다. 항해기에 언급된 위치와 현재 지명을 조심스럽게 비교하던 중 뜻밖에 '푸에르토 데세아도'라는 이름이 눈에 들어왔다. 데세아도는 스페인어로 '욕망'이라는 뜻이다. 데지레는 영어의 욕망을 뜻하는 '디자이어'의 스페인식 발음이었던 것이다.

지금은 작은 항구가 들어선 데지레로 향하기 위해 산안토니오에서 아침 일찍 버스에 올랐다. 전날 오전에 출발한 버스는 이튿날 오전 11시가 돼서야 목적지에 도착했다. 다윈이 다녀간 곳들은 지금도 유명 관광지나 대도시와는 동떨어진 한적한 시골 마을들이 대부분이다. 남미의 교통 사정마저 좋지 않아 버스를 여러 번 바꿔 타야 하는 불편함이 있다.

다윈이 처음 도착할 당시 이 곳에는 스페인에서 건너온 이민자들이 사는 정착촌이 있었다. 다윈은 당시 상황을 '비글 호가 정착촌 앞바다에 닻을 내렸다. 예전에 정착을 시도한 흔적이 있다. 그러나 여름에는 물이 부족하고 겨울에는 원주민들이 공격해와 정착하는 데 실패했다'고 남겼다.

스페인 정착촌은 시내를 흐르는 강 상류 쪽에 자리하고 있었다. 서쪽 281번 도로를 향해 서 있는 안토니오 오네토 선장의 기념비 옆으로 폐허가 된 옛 정착촌의 흔적이 눈에 들어왔다. 오네토 선장은 초기 스페인 이주자들을 이 곳까지 이끌고 온 지도자였다. 정착촌이 있던 자리에는 옛 이주자들이 집을 짓다가 남긴 잔해들이 비교적 훼손되지 않은 상태로 남아 있었다.

◀ 데세아도 항 인근 도로에 서 있는 안토니오 오네토 선장 기념비.

▲ 중생대 쥐라기 시대에 만들어진 것으로 보이는 화산암.

이 지역은 화산암과 자갈층으로 이뤄져 물을 구하기가 쉽지 않아 보였다. 다윈도 자신의 일기에 그런 기록을 남기고 있다. 사방이 트여 있어 원주민들의 공격을 막아 내기에도 불리한 지형 조건이다.

다윈의 영문판 항해기에는 푸에르토 데세아도와 관련된 그림이 네 점이나 들어 있다. 각각의 그림은 하류에서 상류 순으로 당시 모습을 담고 있다.

주민들은 항해기에 첫 번째로 등장하는 그림 속 고목나무 모양의 바위를 '피에드라 토바'라고 불렀다. 데세아도 시내에 있는 마리오브로조스키 박물관에서 강 건너편을 바라보면 보이는 평원 위로 우뚝 솟아 있는 바위가 바로 그것이다. 두 번째 그림은 항구 가까이의 풍경을, '데지레항 진입로 상류'라고 이름 붙인 세 번째 그림은 시의 서쪽 부분을 담고 있다.

마지막 그림은 항구에서 가장 멀리 떨어진 지역으로, 주민들은 이 곳을 '다윈의 전망대'라고 부르고 있었다. 이 지역은 남반구에 봄이 오는 10월에야 배를 타고 갈 수 있어 직접 돌아보지 못한 채 아쉽게도 발길을 돌려야 했다.

▲ 고목나무 모양의 '피에드라 토바'를 그린 그림.

▲ '다윈의 전망대'로 부르는 강 상류 풍경을 담은 그림.

작은 시골 항구도시에서도 진화론 창시자인 다윈의 인기는 꽤 높았다. 다윈이 남긴 기록과 자취는 시내 곳곳에서 어렵지 않게 볼 수 있다. 길에서 만난 주민들은 대부분 다윈을 알고 있었다. '다윈'의 이름을 딴 음식점과 지역 관광회사도 자주 눈에 띄었다.

▲ 마리오브로조스키 박물관 앞에서 바라본 '피에드라 토바'의 모습. 보는 각도에 따라 다른 모습으로 보인다.

마리오브로조스키 박물관에는 다윈이 남긴 '살아 있는 피조물을 향한 사랑은 인간이 가진 가장 고결한 속성이다'라는 명언이 새겨져 있었다. 시내 곳곳에 꽂혀 있는 관광안내 책자에도 다윈이 방문한 지역을 직접 찾아가 볼 수 있도록 위치가 상세히 소개돼 있다.

이튿날 아침, 세찬 바람 소리에 잠을 깼다. 이 지역은 집이 흔들릴 정도로 센 바람이 불기로 유명했다. 장보고 호를 타고 항해를 했을 때도 이렇게 큰 바람 소리를 들어본 적이 없었다. 두터운 옷차림으로 강 하류에서 상류를 향해 천천히 발걸음을 옮기기 시작했다. 지금보다 더 혹독한 환경에서 이 곳을 찾은 다윈과 비글 호 선원들이 정말로 존경스러웠다. 얼마나 힘들었으면 마젤란 탐험대가 이 곳을 지날 때 선원들이 생명의 위협을 느낀 나머지 반란을 일으켰겠는가? 예나 지금이나 탐사의 길은 멀고 험하기는 마찬가지인 것 같다.

함께 보는 다윈의 비글 호 여행기

다윈은 데세아도에서 드넓은 평원을 보고 감탄을 감추지 못했다. 평원의 표면은 매우 평평하고, 희끄무레한 흙이 섞인 둥근 자갈로 덮여 있다고 일기에 기록했다. 이 지역은 평원이 많고 그 위로 해가 끊임없이 내리쬐어 동식물이 다양하지 못하다고 아쉬워했다. 하지만 이 평원이 얼마나 오래 되었고, 만들어지기까지 얼마나 많은 지질작용이 있었을까를 상상하면 마음이 설렌다고 밝혔다.

지난 줄거리 : 야크를 되찾으러 제트의 고물상에 들어간 써니와 씨드. 그러나 눈치를 채고 있던 제트가 톱날 로봇과 전자석 로봇으로 공격해 와 위기에 빠진다. BMI 기술로 웨일을 조종한 고래의 활약 덕분에 제트를 물리친 써니 일행은 일행을 배신하려던 버키를 용서하고 함께 여행하기로 하는데….

어휴, 참자,
참아!
메~롱! 안 참으면
어쩔 건데~?
그나저나 초록이는
뭐 하는 거야?
끼이
초록, 뭐 해?
씨드만 실으면
출발이라구!
거의 다 됐어,
조금만 기다려 줘!
어머?
*머니퓰레이터 : 로봇의 팔을 일컫는 말.
씨드에게 새로운
팔이 생겼잖아?
그래, 경비 로봇의
*머니퓰레이터로
교체했어.

*형상기억합금 : 모양을 기억했다가 그 모양대로 변하는 금속.

이한성 1995년 소년챔프에 '도시대비상'을 연재하며 데뷔했습니다. 대학과 대학원에서 기계공학을 전공했으며, 그 경험을 바탕으로한 만화 'F학점의 엔지니어들'을 출간했습니다. 게임 디자이너로도 활동하면서 '신전 온라인', '엘란 온라인' 등의 캐릭터를 디자인했습니다.

씨드만이라도
어서 찾아 내!
명석한 박사가
분명히 씨드에게
종자보관소를
찾을 수 있는 단서를
숨겼을 거야!
명석한 박사도
사방으로 찾아보고
있습니다.
조금만 더 시간을!
시간이 없어!
나의 공중 기지가
곧 완성된다!
우우우우우

에….
물이 다 떨어져 가!
빨리 마을을
찾아야 할 텐데!
물…, 물…!
덜덜덜
왜 이래?
…연료도
떨어졌어!
뭐?
슈우-
으흐…, 버키~!
잘난 척 하더니
자알 걸렸다~!
으흐흐
정신차려,
재가 버키야.
로봇 때문에
실을 수 있는
여유가 별로
없었다고!
음….

길도 잃어 버리다니,
지도는 폼으로
보는 거야?
사막은 지형이
수시로 변한단 말야!
큰일났네!
저기 길이
보이는데?
후다다-
어디, 어디?
저 길을
따라 가면 마을이
나올 것 같아.
하지만
이 더위에 어떻게
걸어 가지?
내가 자전거로
마을을 찾아볼게.
척
자…, 자전거가
뭐여?
초록아,
내 물을 가져 가.
…….

…고마워! 꼭 마을을 찾아서 연료를 가져 올게! 조금만 기다려!
으악? 이걸 탄다고?
야, 내려! 망가지겠다!
휘청 휘청
서두르자!
슈아아-
웨일, 씨드! 야크를 길 가까이로 옮기자!
…괜히 힘 뺐다.
으이구!
헉 헉

아, 사람이다!
애, 이 쪽으로 가면 마을이 나오니?
끼익-
?
어라, 이건 로봇 두뇌잖아?
으, 응….
업그레이드를 했어.
이건 이렇게 연결하는 것보다 이렇게 병렬로 하면 성능이….
철컥 철컥
…….
…너, 기계 다루는 데는 천재구나!
으-쓱
뭐, 천재씩이나…, 헤~!

마을은 저쪽으로 3㎞만
더 가면 돼!
그래, 고마워. 잘가!
…….
으….
Whale

초록, 서둘러! 친구들이 위험해!
계속

시즌 2
미션키트맨
제13화 다글러스의 불꽃놀이
글 이화영 그림 임덕영
휴우
…
가을 타시나
아~. 가을은 고독의 계절. 사나이를 외롭게 하는구나.
다글러스 님, 이 기회에 여자 친구를 만드세요!
자기야~
몰라 몰라
쌀 보리 쌀 쌀
툭
아직 내 마음 속엔 샬레 양이….
그럼 용기 있게 고백하세요! 일단 밤이 되면….
속닥 속닥
좋아! 그럼 밤이 되면 너희가 샬레 양을 뒤뜰로 데려와. 그 동안 나는 준비를 할게.
넵! 저희만 믿으세요!
샬레 양, 우리 단풍 구경 갈래?
좋아~!
키트맨과 단둘이 단풍놀이? 안 돼!
우리랑 가자~! 샬레 양은 바쁘대~.
왜 저러지?
질 질
자, 드디어 때가 됐어! 로맨틱의 결정판! 불, 꽃, 놀, 이!
불꽃놀이로 사랑의 화살을 샬레 양에게!

샬레 양, 꼭 보여 주고 싶은 게 있어.
뭔데?
펑
펑
와~! 너무 멋져! 다글러스!
후훗! 이쯤이야!
이번에는….
엥?
툭
헉! 불이야~!
어떡해~!
화르륵
착
10분 뒤.
이럴 때일수록 침착해야 해. 과학적으로 생각해 보자. 뭐가 없을까?
몰라~, 몰라~. 이잉~.
그래도 불꽃놀이는 멋졌지? 다음에 또 할까?
됐거든요!
쏘오옥
불은 어떻게 끈 거지? 비밀은 다음 장에!
옥의 티는 계속됩니다! 많은 성원 부탁해용!
9월 15일자 옥의 티 당첨자 : 이나경(dalbitdoyo)

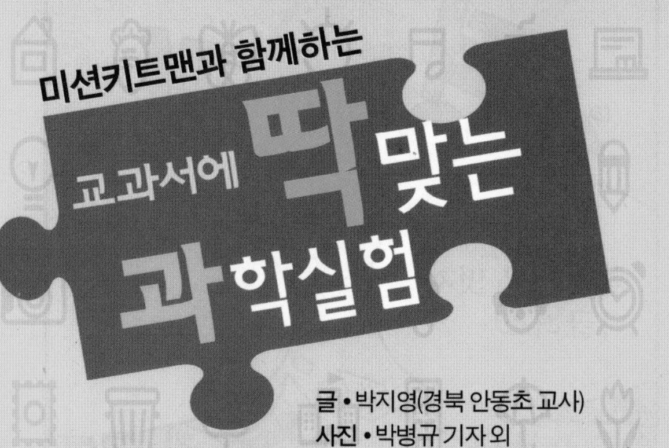

자나 깨나 불조심!

글 • 박지영(경북 안동초 교사)
사진 • 박병규 기자 외

됐거든요!

요즘 같은 가을철에는 아주 작은 불씨만으로도 큰 불이 날 위험이 높아요. 주변의 물질이 건조해져 있어 불이 쉽게 붙을 뿐더러 강한 바람을 타고 불길이 금세 번지기 때문이죠. 불이 났을 때는 당황하지 말고 소화기를 이용해 바로 끄면 큰 불은 막을 수 있어요. 이산화탄소로 불을 끄는 간이 소화기를 만들며 불을 끄는 원리를 배워 볼까요?

실험 재료 플라스틱 통, 빨대, 솜, 식초, 탄산수소나트륨, 화선지, 양초, 고무 찰흙, 숟가락, 송곳, 성냥

실험 방법

❶ 송곳을 불에 달궈 뚜껑에 구멍을 뚫고, 빨대의 짧은 쪽이 뚜껑 아래를 향하게 꽂는다.

❷ 고무 찰흙으로 빨대를 고정시킨 뒤, 양쪽 끝을 솜으로 막는다.

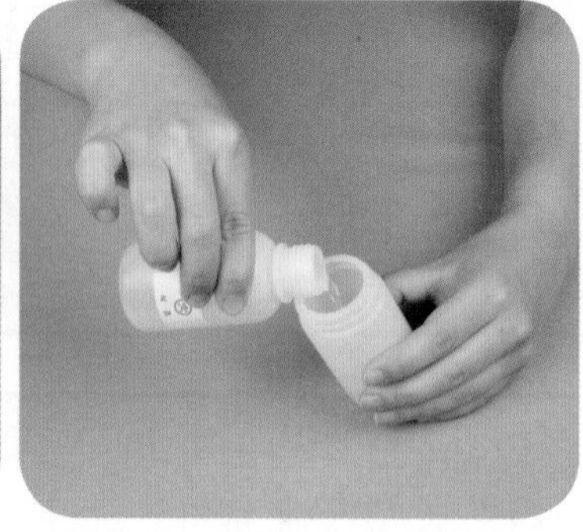

❸ 식초를 플라스틱 통에 20㎖ 정도 넣는다. 냄새를 직접 맡지 않도록 주의한다.

❹ 탄산수소나트륨 한 숟가락을 화선지에 싸서 주머니 모양이 되도록 실로 묶는다.

❺ 탄산수소나트륨 주머니를 병 입구에 실로 매단 뒤 뚜껑을 꽉 닫는다.

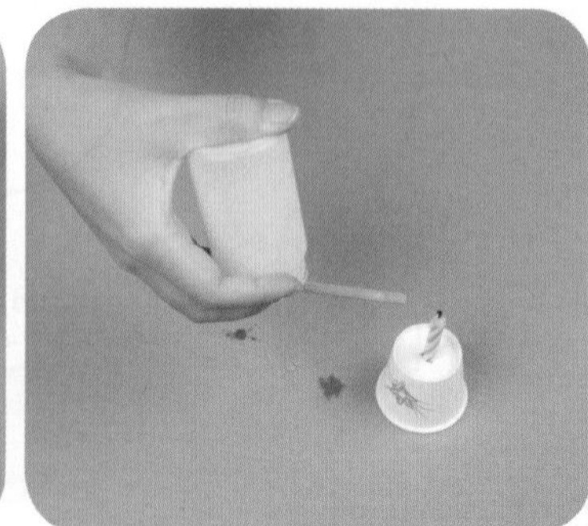

❻ 병을 거꾸로 들고 빨대의 입구를 촛불에 가까이 대어 촛불이 꺼지는지를 확인한다.

관찰해 보기

❶ 탄산수소나트륨과 식초가 만났을 때 어떤 현상이 일어나나요?

❷ 빨대 끝에 손가락을 대 보세요. 무엇이 느껴지나요? 빨대에서 나오는 기체로 불을 끌 수 있는 이유는 무엇일까요?

❸ 불을 끄는 방법에는 어떤 것이 있을까요? 간이 소화기는 이 가운데 어떤 원리를 이용했을까요?

실험 원리

산소, 불이 붙기 위한 온도, 타는 물질을 연소의 3요소라고 합니다. 불이 붙기 위해서는 세 가지가 모두 있어야 하죠. 이 세 가지 요소 중에서 한 가지라도 부족하면 불은 꺼집니다. 불을 끄기 위해 타는 물질을 모두 없애기는 어렵기 때문에 산소를 차단하거나 온도를 낮추는 방법을 많이 사용해요. 실험에서는 산소를 차단하는 방법을 썼습니다.

식초와 탄산수소나트륨을 섞으면 둘이 반응해 이산화탄소가 생겨요. 이산화탄소는 공기보다 무겁기 때문에 촛불 주변에 내려앉으며 산소를 차단하지요. 연소의 3요소 중 하나인 산소가 사라지기 때문에 불은 꺼지게 된답니다.

부모님을 위한 딱과 비법!

불을 끌 때 가장 쉬운 방법은 물을 뿌리는 것입니다. 물이 산소를 차단하고 주변 온도를 낮추기 때문에 효과적이죠. 하지만 타고 있는 물질에 따라서 물을 사용하면 안 될 때도 있습니다. 대표적인 예가 기름에 붙은 불을 끄는 경우입니다. 고온의 기름 위에 물을 뿌리면 물이 증발하며 튀기 때문에 화상을 입기 쉽죠. 이럴 때는 담요를 덮거나 흙을 뿌려서 산소를 차단해야 합니다.

일반적으로 불을 끌 때 쓰는 소화기는 '분말 소화기'로, 불이 붙지 않는 가루물질이 나오면서 산소를 차단해 불을 끕니다. 하지만 분말 소화기는 사용하고 나면 흰 가루가 남기 때문에 중요한 기계에는 사용할 수 없지요. 이럴 때는 기체를 분사하는 '할론 소화기'나 이번 실험처럼 이산화탄소를 이용한 '이산화탄소 소화기'를 사용한답니다.

관련 교과 초 5-2 용액의 반응
초 6-1 여러 가지 기체
초 6-2 연소와 소화

지난 줄거리 : 지구형 행성과 화성형 행성의 차이를 알기 위해 직접 화성으로 날아간 홈즈호! 화성에 역사적인 첫 발을 내딛자마자 맹맹이는 화성 멀리까지 발자국을 남기겠다며 말썽을 피우며 돌아다닌다. 한편 홈즈호를 찾던 신동준호는 홈즈호의 위치가 이상하다는 사실을 깨닫고 추적을 시작하는데….

뭣들 하고 있어요? 좀 잡아 줘야죠~!
어! 그, 그래!
주르르륵—
잠시 뒤.
휘유우우~! 화성 땅바닥에 발자국 찍으려고 했다가 인생에 마침표를 찍을 뻔했다! 다행히 절벽에 떨어지기 전에 나무 뿌리를 잡았으니 망정이지!
헥-
헥-
?
맹맹아, 너 지금 뭐라고 했어? 나무 뿌리?
응, 그래. 나무 뿌리!
두
웅
우왓? 이럴 수가!
아니, 산삼 뿌리도 아니고 그냥 평범하디 평범한 나무 뿌리를 잡은 게 그렇게 놀랄 일인가?
또어어억
?
노, 놀랄 일이냐고? 너 정말 몰라서 하는 소리야?
왜 만화나 영화 같은 걸 보면 절벽에서 추락할 때 뿌리를 붙잡고 살아나잖아~!
이 바보야~! 그런 문제가 아니라구!
쿵!
그럼 어떤 문젠데?

지금까지 화성에서는
어떤 생명체도 발견된 적이 없어!
그래, 네 얘기대로 화성에
나무가 존재한다면 이건 과학계에서
엄청나게 놀라운 발견이 되는….
꺄아악~!
우아아악!
왜 그래?!
네 외, 왼쪽 어깨 위에…!
뭐? 내 어깨 위에
뭐가….
끼약!
나도 깜짝이야!

김민재 성균관대학교 미술교육과를 졸업하고 제3회 서울만화공모전으로 만화가의 길을 걷게 됐습니다. '미디어다음'에 '장하다! 울트라병장'을, '풀빵닷컴'과 '포커스'에 '상상오류'를 연재했으며 '어린이과학동아' 친구들과는 '구리구리 발명왕'을 통해 만난 바 있습니다.

이상해도 어쩔 수 없잖아~! 똥또르도 눈으로 똑똑히 봐 놓고는!
뭐, 그렇기는 하지만….
쿠구구구구구
어? 뭐, 뭐야? 이 소리는?
홈즈호가 땅 속으로 빨려 들어가고 있어!
쿠구구궁
쿠궁
홈즈호 가까이 가면 안 돼요! 주변의 땅이 계속 꺼져 들어간다고요! 모두 대피하세요!
쿠구궁
아악! 벌써 반쯤 잠겼어~!
쿠구궁
지금 홈즈호를 버리고 도망가란 말이야?
얌마! 너 지금 화성에 119 구조대원이라도 올 거라고 착각하는 거 아냐?
우왕
와왕
홈즈호가 없으면 지구로 돌아갈 수 없잖아!
그럼 댁이 밧줄이라도 던져서 건져 보시던가요~!
뭬야?
어? 저, 저기!
?

쿠슈우웅
두
우
우왓! 신동준호의 비행기!
저 녀석이 화성에는
어쩐 일이지?
혹시 소희
네 스토커냐?
지금 뭔
헛소리야?
아휴~, 진짜 소희만 아니면 내가
이 먼 곳까지 고생하러
오는 게 아닌데~!
촤랄락~
덜컥
자~, 나와랏!
패앵~
키이이잉~

잘 한다, 신동준호!
나와라! 나와라!
조금만 더! 조금만 더!
끼이잉
쿠슈우웅
빠우
욱
나, 나왔…?
……
데롱
데롱
우웨에엑? 목만 빠져 나왔잖아?
어쩐지 징그러워~!
야, 이 흰똥아! 멀쩡한 목은 왜 뽑고 난리야? 빨랑 다시 해!
어휴!, 저게 진짜~!
추와아악
와앗! 드디어 성공이닷!
몸통까지 완전히 나왔어!
잠시 뒤.
위이이잉

와하하~! 어서 와!
어떻게 이 먼 화성까지
왔냐? 어쨌거나
덕분에 살았다!
으휴….
잠깐, 잠깐!
근데 너 괜찮냐?
우주복도 안 입고!
어, 정말이네?
헬멧도
안 썼잖아!
….
난 괜찮아~!
특수 캡슐을 먹었거든!
특수 캡슐?
그게 뭔데?
알약처럼 생긴 건데, 그것만 먹으면
한 3일간은 우주에서도 지구처럼
생활할 수 있지! 난 그런 거추장스러운
우주복은 안 입는다구!
으휴~! 또 잘난 척이군!
홈즈호 건져 준 것 봐서
참는다!
부르르
그나저나….
?!
스으윽
벌
?!

우와아악!
너, 너 이 자식!
뭐 하는…?
?!!
쿠
웅
읍! 우읍!
쿠
웅
?
우읍!
쿠
웅
앗, 매, 맹맹아
!
훗!
번쩍
!!
깜짝이야!
번
후욱- 후욱-
매, 맹맹이가
이상해…. 저건…,
좀비의 뒷모습!
덜덜덜
무, 무서~!

후우웁~!
푸오오오~!
후우우우우웁~!
푸오워오오오~!
지, 지금
뭐 하는 거지?
이제
초사이어인으로
변할 건가 봐!
…그, 그게 아냐!
숨, 숨을
쉴 수 있다구!
숨을?
푸아 푸아
두웅!
좀전에 신동준호의
캡슐을 먹은 거야?
캡슐은 무슨 캡슐!
그딴 건 애초에 없었어!
뭐, 뭐야?
그럼 어떻게 숨을
쉴 수 있는 거야?
지금 너희들이 있는
곳은….
?
?
바로 지구니까!
뭐, 뭐? 우리가 있는 곳이
화성이 아니라 지구라고?
쿠궁
홈즈호가 날아온 곳이 지구?
계속

차현진 1998년 만화계에 입문. 펴낸 책으로는 '얼음나라 에쿠' '10년 후 나는 무엇을 할까?' '폴로의 아시아대륙 횡단기' '쿵야 배틀수학노트 1, 2' '어린이 문화유산 탐험대 1, 2' '퀴즈 과학상식 세계최고, 최초' 'KBS 위기탈출 넘버원 1~13' 등이 있습니다.

여기는 카다라쉬니까…,
카다라쉬 엥인가?
큭큭~.
우리 저녁부터
먹자~.
좋아~! 오늘 저녁은
프랑스 요리로…, 앗!
까악~!
쏙
헉!
쏙
박사님!
쿵!
쿵!
엄마야~!
휘익
스르륵
해치웠어!
이제 그 곳엔 우리만
갈 수 있지롱~.
얘들아~!

***국제핵융합실험로 :** 우리나라, EU, 일본, 러시아, 미국, 중국, 인도 등 7개 나라가 공동으로 참여하고 있는 핵융합발전 실험로를 건설하는 프로젝트. 현재 프랑스 카다라쉬에서 공사 중에 있다.

*도브르이 베체르 : '안녕하세요' 라는 뜻의 러시아 말.

새로운 방해꾼 등장! 저 소리는 또 뭐지?

박순구 경향신문에 '미운오리새끼', 뉴스메이커에 '만화세상' 등을 연재했고, '휴머니멀'로 BICOF 부천청소년만화상과 대한민국만화대상 신인상을 수상했습니다. 현재 '놀라지 우주' 시리즈를 작업하면서 홈페이지(www.soon9.com)를 운영하고 있습니다.

콩이가 그 많은 걸 어떻게 다 먹겠니?
사탕
엇!
저기도 있다!
콩이 방
흠, 모든 증거가 콩이를 향하고 있어!
범인은 바로 콩이야.
쾅
뒤에 숨긴 그 상자는 뭐지?
깜짝
뭐야? 노크도 없이! 놀랐잖아!
그리고, 내가 뭐…, 뭘 숨겼다고 그래?
익!
흥! 시치미 떼면 누가 모를 줄 알고!
탁
다다다다다
잔~뜩
콩아, 먹고 싶을 때 먹으면 되는데 이걸 왜 숨겨 놓고 그러니?
만날 누나가 먼저 다 먹잖아!
그렇다고 먹을 걸 숨겨?

겨울나기 한다고 상자에 먹이를 저장하는 거야?
네가 곰이나 다람쥐라도 되는 거야?
혼자 다 먹을거야
꾸역 꾸역
스르르르르르르르르륵…
와구 와구
불룩
다람쥐다! 볼이 터질 것 같은 다람쥐
오물 오물
볼에 먹을 것이 가득한 "다람쥐"
다람쥐는 몸길이 약 16㎝에, 꼬리는 약 13㎝의 몸집을 지닌 쥐목 다람쥐과의 동물이다. 나무 타기를 좋아하고 낮에만 활동하여 산에서 종종 볼 수 있다.
산골짜기 다람쥐~ 아기 다람쥐~ 도토리 점심 가지고 소풍을 간다~♬
노래와 달리 다람쥐가 도토리를 가지고 이동하는 것은 겨울나기를 준비하는 행동이다. 다람쥐는 가을이면 볼 주머니에 가득 먹이를 담고 분주하게 나르며 월동을 준비한다.
볼이 늘어나는 만큼 최대한 넣는 거야!
웁웁~
다람쥐는 땅 속에 굴을 깊이 파고 보금자리를 만든다. 굴 속은 여러 개의 방으로 나누어져 있어 잠을 자는 곳과 먹이를 저장하는 곳, 화장실이 따로 있다. 먹이 창고 안에는 씨앗과 열매를 넣어 두는데, 주로 밤, 잣, 땅콩 등 견과류를 좋아한다.

평균 기온이 8~10℃로 내려가는 10월이 되면 다람쥐는 보금자리로 들어가 겨울잠을 자기 시작한다. 이 때 다람쥐는 깊은 잠을 자지 않는 가수면 상태로 지내기 때문에 배가 고프면 깨어나서 먹이를 먹고 다시 잔다.
아…, 졸려~. 그런데 배고프다. 졸리고, 배고프고….
우물우물
봄이 되면 다람쥐들이 땅 속에 숨겨둔 열매 중 먹지 않은 것들이 새싹을 틔운다. 다람쥐가 식물의 번식을 도운 셈이다.
이상하네. 분명히 여기에 도토리를 묻어 둔 것 같은데…. 아무리 찾아도 없네.
다람쥐와 종종 혼동되는 청설모는 몸이 회갈색이고 줄무늬가 없다. 그리고 다람쥐와 달리 흰 눈이 쌓이는 겨울에도 겨울잠을 자지 않고 먹이를 구하러 돌아다닌다.
탓
타닷
넌 잠도 없냐? 그만 좀 돌아다녀! 시끄러워서 잠을 잘 수가 없잖아!

다람쥐는 산에서 볼 수 있는 친근한 동물이에요. 요즘처럼 기온이 선선한 가을에는 열심히 먹이를 나르며 겨울잠을 준비하고 있답니다. 다람쥐는 먹이를 발견하면 바로 먹지 않고 볼주머니에 가득 넣어 먹이 창고로 가져가요. 주로 쓰러진 나무 사이, 돌 밑, 썩은 나무 그루터기 밑에 굴을 만들지요. 최근에는 귀여운 모습 때문에 사람들이 애완용으로 잡아 가기도 해서 그 수가 많이 줄어들고 있다고 해요. 우리에서 쳇바퀴를 돌고 있는 다람쥐보다는 산에서 만나는 다람쥐가 더욱 반갑지 않을까요?

콩이의 볼록한 볼이 다람쥐와 닮았네요~. 계속

따끈따끈 책방

쓰레기통을 누가 훔쳤을까?

주인공 조르주는 예전에 사람들의 물건을 훔치는 해적이었어요. 하지만 지금은 환경을 사랑하고 재활용도 열심히 하는 시민이지요. 그런 조르주가 마을 쓰레기를 훔친 범인이라는 오해를 받게 됐어요. 과연 조르주는 마을 사람들의 오해를 풀 수 있을까요?

- 글 : 루앙 알방
- 그림 : 그레고아르 마비르
- 펴낸 곳 : 미래아이
- 02-562-1800
- 값 : 9,000원

과학자는 세상을 이렇게 바꿨어요

과학의 진짜 목적은 자연에서 일어나는 여러 가지 현상을 바르게 이해하고, 그 현상에 숨어 있는 규칙을 찾는 거예요. 이 책은 과학의 역사를 들려 주면서 과학자들이 어떤 방법으로 연구해 세상을 바꾸어 나갔는지를 알려 줘요.

- 글 : 정창훈
- 그림 : 홍선주
- 펴낸 곳 : 토토북
- 02-332-6255
- 값 : 9,000원

바다 속은 어떻게 생겼을까?

일본에서 40년간 사랑 받은 스테디셀러 과학그림책이에요. 바다 전체를 한눈에 볼 수 있는, 바다에서 출발하는 지구 여행을 주제로 삼고 있어요. 크고 작은 생물들이 어울려 사는 바다 생태와 바다 속 탐험을 통해 바다를 깊이 있게 들여다 볼 수 있어요.

- 글/그림 : 가코 사토시
- 감수 : 김웅서
- 펴낸 곳 : 청어람미디어
- 02-3143-4006
- 값 : 12,000원

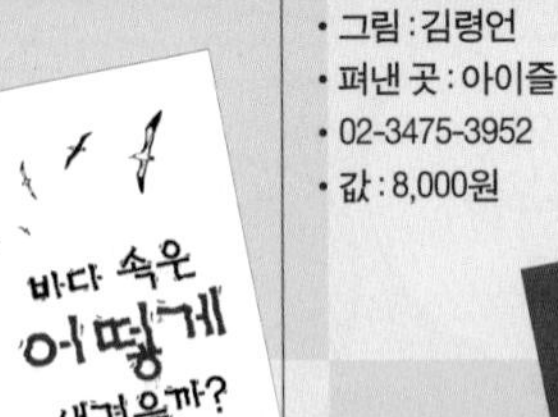

SOS 과학수사대③

금개구리를 구하라!

개구리를 포함한 양서류는 환경 변화에 매우 민감해서 '환경의 대변자' 라고 불려요. 삼촌, 태양이, 별이는 나노 X를 타고 멸종 위기에 처한 금개구리를 구하러 떠나요. 모험을 따라가다 보면 환경의 소중함과, 멸종위기에 처한 동물을 보호하려는 마음을 가질 수 있어요.

- 글 : 염승숙
- 그림 : 김령언
- 펴낸 곳 : 아이즐
- 02-3475-3952
- 값 : 8,000원

수학족장 제브라

줄리와 함께 수학 나라에서 모험을 즐겨 봐요. 수학 나라에서는 사칙 연산이 개념이 아니라 실제로 보이고 느껴지는 땅이고, 분자 모형처럼 생긴 과일들이 화학나무에서 자라나요. 줄리는 우연히 들어가게 된 수학나라에서 수학과 과학이 즐겁고 재밌는 거라는 사실을 알게 돼요.

- 글 : 웬디 아이스델
- 그림 : 김정진
- 펴낸 곳 : 일출봉
- 02-2648-7224
- 값 : 12,700원

재미있는 우주

우주의 끝이 있을까? 별은 어떻게 생겨났을까? 우주는 온갖 궁금증을 불러일으키는 공간이에요. 이 책은 태양계, 별, 블랙홀, 빅뱅 등 소란스러운 우주 친구들이 앙증맞고 유쾌하게 자신을 소개하고 있어요. 소개를 듣다 보면 우주에 대한 궁금증이 말끔히 해소된답니다.

- 글 : 댄 그린
- 그림 : 사이먼 바셔
- 펴낸 곳 : 해나무
- 02-3144-2705
- 값 : 10,000원

영어 위인전-MARIE CURIE

바이러스에 감염된 진흙 혹성을 구하기 위해 지구의 위인들의 에너지를 흡수하러 온 '씽'과 '알파플러스'가 모험을 떠나요. 퀴리부인에게 배워야 할 점을 에너지로 표현하는 등 위인의 업적을 알기 쉽게 정리해 놓았어요. 성우가 영어로 녹음한 오디오CD가 부록으로 주어져요.

- 글/그림 : SMA기획
- 펴낸 곳 : 영진닷컴
- 02-2105-2150
- 값 : 12,000원

지구 환경 챔피언

개구쟁이 너구리와 함께 떠나는 지구 환경 탐험 이야기예요. 환경 문제에 대한 이야기를 수다를 떨듯 가볍게 풀어가고 있어요. 재미있고 다채로운 그림, 각 꼭지를 마무리하는 만화, 자신의 생활습관을 점검해 볼 수 있는 퀴즈가 마련되어 있어 흥미를 더해요.

- 글 : 스테판 프라티니 외
- 그림 : 답스
- 펴낸 곳 : 지식의숲
- 02-730-2680
- 값 : 9,000원

노빈손 사라진 훈민정음을 찾아라

한글을 금지하는 연산군 시대를 배경으로 노빈손이 모험을 시작해요. 훈민정음을 지키기 위해 위협과 맞서는 노빈손! 그 과정에서 노빈손은 비로소 한글의 우수한 과학성과 세종대왕의 이상에 대해 깨닫게 돼요.

- 글 : 한정영
- 그림 : 이우일
- 펴낸 곳 : 뜨인돌
- 02-337-0212
- 값 : 9,500원

청소년을 위한 뇌과학

괜히 부모님께 반항하고 싶다? 이성 친구를 보면 가슴이 두근거린다? 뇌 속을 들여다보면 내 마음이 보여요. 어렵게만 느껴지는 뇌과학을 최대한 쉽고 재미있게 풀어 썼답니다. 뇌의 구성부터 다양한 뇌의 작용까지 차근차근 알아가 보세요.

- 글 : 니콜라우스 뉘첼 외
- 옮김 : 김완균
- 펴낸 곳 : 비룡소
- 02-3443-4318
- 값 : 13,000원

탐정소설로 배우는

수학, 영어, 물리 시리즈

초등학생을 위한 신개념 탐정소설이에요. 버려진 저택에 드나드는 수상한 사람을 쫓는 세 친구의 이야기, 수영장 탈의실에서 시디플레이어를 훔친 범인을 찾는 이야기, 학교 전시회의 전시물 도난 사건을 다룬 이야기를 통해 수학, 영어, 물리에 쉽게 다가갈 수 있어요.

- 글 : 닐스 레쉬케 외
- 옮김 : 이동준 외
- 펴낸 곳 : 문학수첩리틀북
- 031-955-4500
- 값 : 10,000원(수학, 물리)
  12,000원(영어)

두근두근 행사

예쁜 동물! 신기한 식물!

제1회 과학동아·어린이과학동아 생태사진공모전

동물과 식물을 좋아하는 친구들은 모두 모여라~! 동아사이언스에서 제1회 생태사진공모전을 개최해요. 아름다운 자연을 담은 사진이라면 어떤 사진이든 응모할 수 있어요. 동아사이언스 포토 커뮤니티 홈페이지에 회원 가입을 한 뒤, 갤러리에 사진을 올려 주면 자동으로 응모가 된답니다. 수상 작품은 2010년 1월 대전 국립중앙과학관에서 전시회도 할 예정이에요.

- 일시 : 2009년 10월 20일~2009년 11월 20일
- 분야 : 한국에 있는 동·식물 또는 아름다운 자연 풍경을 담은 생태 사진
- 작품 규격 및 규칙 : 원본 크기 2000픽셀 이상의 디지털 사진을 900픽셀로 조정한 뒤 등록. 필름 사진은 스캔한 뒤 파일로 등록.
- 주의점 : 흑백 변환 및 약간의 색감 보정만 허용. 합성은 불가능.
- 문의 : 02-3148-0831
- 홈페이지 : www.dongascience.com

쓰레기가 미술 작품으로?

에너지·환경재생 미술작품공모전

마시고 남은 음료수 병으로 무엇을 할 수 있을까요? 오래된 장난감이나 작아져서 못 입는 옷이 있다면? 망설이지 말고 미술 작품을 만들어 보세요! 한국과학문화진흥회와 동아사이언스가 공동 개최하는 에너지·환경재생 미술작품공모전이 열리거든요. 서울국립과학관에서 열릴 '2009 노벨사이언스 체험전'을 기념해 열리는 이 행사는 초등학교와 유치원에 다니는 어린이들에게 자원의 소중함과 환경의 중요성을 깨닫게 해 줄 거예요.

- 일시 : 2009년 11월 1일~2009년 11월 10일
- 참가 부문 : 초등부, 유치부(4세 이상)
- 방법 : 빈 병 또는 우유팩으로 만든 좌우 60㎝ 미만의 작품을 참가 신청서(노벨사이언스 홈페이지에서 다운로드)와 함께 방문 또는 우편 제출
- 제출할 곳 : 서울 종로구 와룡동 2번지 국립서울과학관 특별전시장 2층 노벨사이언스체험전 담당자 앞
- 문의 : 02-538-9044
- 홈페이지 : www.nobel.or.kr

과학과 예술을 동시에!

레오나르도 다 빈치전

600년 전 이탈리아에 살았던 천재 과학자이자 예술가 레오나르도 다 빈치! 화려한 다 빈치의 업적을 과학관에서 체험해 보세요. 노가 달린 첨단 배 '스콜피온'과 하늘을 날 수 있는 날개, 그리고 낙하산과 같은 기발한 발명품을 3D 모형으로 만날 수 있어요. 또 놀라운 사실감을 보여 주는 르네상스 시대의 미술 작품까지 직접 감상하는 기회도 될 거예요. 과학과 예술이 한데 어우러진 멋진 전시를 경험해 보세요.

- 일시 : 2010년 3월 1일까지
- 장소 : 국립과천과학관 특별전시관
- 입장료 : 어른 11,000원, 학생 10,000원, 만 6세 이하 어린이 9,000원
- 문의 : 02-3418-5060
- 홈페이지 : www.davincikorea.co.kr

가족 영화의 세계로 풍덩~!

제3회 서울국제가족영상축제

친구들은 영화를 좋아하나요? 만화는요? 큰 화면에서 움직이는 아름다운 영상 속에서 따스한 가족의 사랑을 찾아 보세요. 올해로 3번째를 맞는 서울국제가족영상축제에서 가족을 주제로 한 세계의 단편 영화들을 만날 수 있거든요. 영화를 볼 수 있을 뿐 아니라 3D 입체 애니메이션을 감상할 수 있는 기회도 있어요.

- 일시 : 2009년 10월 28일~11월 3일
- 장소 : 서울 CGV 용산
- 입장료 : 일반 상영작 5,000원, 야외 상영 무료
- 문의 : 02-777-1444
- 홈페이지 : www.sifff.org

가족 미술 체험 프로그램

물 그림 그리기

경기도미술관에서 새로 열리는 현대 미술 전시회인 '악동들 지금/여기' 전에서 가족이 함께 할 수 있는 참여형 미술관 프로그램 '물 그림 그리기'를 준비했어요. 가족이 함께 전시 작가의 그림 기법을 따라 해 보며 미술에 대한 이해를 높이는 프로그램이지요. '마블링' 기법도 배우고, 우리나라의 역사를 주제로 한 나만의 그림을 그려 간직해 보세요!

- 일시 : 2009년 10월 24일~2010년 1월 3일, 매주 토, 일요일
- 장소 : 경기도 안산 경기도미술관
- 참가비 : 무료
- 문의 : 031-481-7007~9
- 홈페이지 : www.gmoma.org

미술과 우주의 만남

대전시립미술관 IAC 특별전

대전에서 개최되는 2009년 국제우주대회를 기념해 대전시립미술관에서 '은하수를 여행하는 히치하이커' 전이 열려요. 미술가들이 우주와 은하계를 주제로 만든 아름답고 상상력 넘치는 작품을 만날 수 있는 기회예요. KAIST 문화기술대학원의 '우주 직접 만들기(DIY Universe)' 전도 함께 볼 수 있어요.

- 일시 : 2009년 11월 25일까지
- 장소 : 대전시립미술관 제1~4전시실
- 입장료 : 어른 3,000원, 학생 2,000원(DIY Universe전은 무료)
- 문의 : 042-602-3200
- 홈페이지 : dmma.metro.daejeon.kr

새로운 가족 연극! '완득이'

제1회 창비청소년문학상을 수상한 청소년 소설 '완득이'를 연극으로 만나 보세요. 초등학생부터 어른까지 누구나 즐겁게 볼 수 있는 편안하고 재미있는 가족 연극이에요. 특히 바로 옆집에서 만날 수 있을 것 같이 생생하고 친근한 주인공이 이웃과 가정에서 겪는 좌충우돌 경험담이 친구들의 눈길을 사로잡을 거예요.

- 일시 : 2009년 10월 30일~12월 31일
- 장소 : 서울 혜화동 김동수플레이하우스
- 관람 등급 : 9세 이상
- 입장료 : 일반 15,000원, 어린이 10,000원(10월 30일부터 11월 15일까지는 모든 자리 10,000원)
- 문의 : 02-3675-4675
- 홈페이지 : www.cyworld.com/i_actor

스파이 첩보 대작전!

금속탐지기로 목표물을 발견하라! 누가 거짓말하는지 어떻게 확인하지?
소곤소곤 이야기해도 다 들킨대~, 쉿!
남의 물건 함부로 건드렸다간? 조심해 모두!

금속탐지기 38,000원

금속탐지기로 목표물을 찾아라! 탐지기 안에 얇은 철사로 만든 코일이 들어 있어. 그래서 금속에 금속 탐지기를 가까이 대면 이 코일에 흐르는 전류의 주파수가 달라지면서 그 차이로 신호가 울리게 되지. 삐~삐~삐! 소파나 침대 밑에 들어간 잃어버린 동전들을 찾아보자~!

거짓말탐지기 48,000원

누가 누가 거짓말 하나? 거짓말을 하면 심리적인 자극을 받게 되어 피부에서 땀이 나. 그 땀에는 전기를 잘 통하게 하는 염분이 섞여 있어서 피부로 통하는 저항 값을 순간적으로 낮춰 주고, 우리 몸의 전류를 더 세게 흐르게 해. 전류가 세게 흐를수록 거짓말탐지기에서는 삐삐삐~ 소리가 크게 들릴 거야! 어때? 신기하지?

소형 도청기 38,000원

작은 소리를 크게 들려 주는 도청장치! 소형 도청기에는 모든 방향에서 들어오는 소리를 잡아 내는 마이크가 달려 있어. 작은 소리를 모아 주파수로 바꾸고, 이어폰에서 작은 소리의 주파수를 크게 만들어 더 큰 소리로 만들어 주는 원리지~.

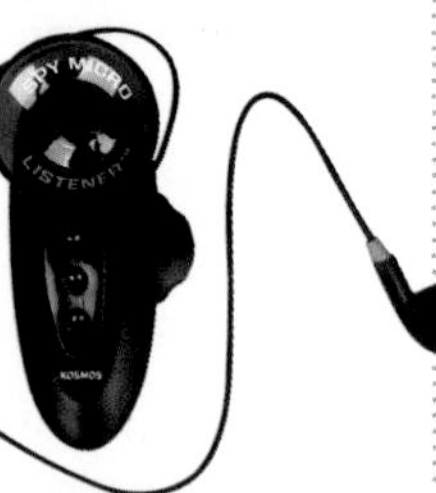

동작감지기 38,000원

동작 그만! 건드리면 울린다~! 서랍 속에 중요한 귀중품을 넣었을 때 누군가 서랍을 열게 되면 경보음이 5초간 울리게 돼! 앞쪽에서 눈에는 보이지 않는 레이저가 나오는데, 이 레이저가 가려지거나 초점이 흐려지면 그 동작을 감지하고 경보음을 울리는 원리야! 동작감지기와 함께 물건을 두면 도둑 맞을 염려는 없겠지?

〈한나 몬타나〉와 함께 즐거운 주말 보내기

최근 신종 플루로 가을소풍과 운동회, 각종 축제들이 취소됐어요.
그렇다고 심심하고 지루한 주말을 보낼 수는 없는 일!
디즈니채널의 인기시트콤〈한나 몬타나〉와 함께 유쾌한 주말을 함께 보내 봐요!

낮에는 마일리 스튜어트,
밤에는 한나 몬타나!

'마일리 스튜어트' 처럼 밝고 명랑하게!

마일리 스튜어트는 공부도 열심히 하고, 친구들과도 사이좋게 지내는 평범한 여학생이야. 세상에서 가장 중요한 것이 우정이라고 생각하고, 언제나 밝고 즐겁게 생활하는 것을 좌우명으로 삼고 있단다. 마일리 스튜어트의 좌우명을 일상 생활에서도 실천해 보면 어떨까? 가족, 친구들, 친척들과 함께 사이좋게 지내고, 모든 일을 긍정적으로 생각하면 한층 더 즐거운 삶을 보낼 수 있을 거야!

'한나 몬타나' 처럼 친구들과 흥겨운 주말을!

낮에는 평범한 여학생이지만 저녁에는 수백만 명 앞에서 폭발적인 무대를 선보이는 한나 몬타나. 바쁜 이중생활을 하고 있지만 열정적이고 카리스마 있는 공연을 선사하기 위해 항상 노력한단다. 미국 최고의 아이돌 스타가 선사하는 감동적인 무대를 만나 봐! 한나 몬타나의 흥겨운 음악에 맞춰 노래를 불러 보자. 친구들과 신나게 리듬도 타 보면서 나만의 콘서트를 열어 보는 건 어떨까?

Disney CHANNEL ORIGINAL SM

〈한나 몬타나〉 시청 방법

- 위성(스카이라이프) · 케이블의 디즈니채널 : **토, 일 오후 6시**
- 브로드앤TV · 쿡TV의 디즈니채널 온 디맨드(우리말 더빙으로도 볼 수 있어요!)

2010 제 4 명예기자 大 모집

2010년 한 해 동안 '어린이과학동아'에서 활약할 제4기 '명예기자'를 모집합니다. 명예기자는 때로는 '어린이과학동아'의 모니터 요원으로, 때로는 취재기자나 모델로 활동하는 '어린이과학동아'의 독자 기자예요. 여러분이 새로운 명예기자가 되어 2010년 '어린이과학동아'를 더욱 멋지게 빛내고 싶지 않나요? 많은 응모 기대할게요~!

명예기자, 이것이 궁금해요!

Q 누가 명예기자가 될 수 있나요?

'어린이과학동아'를 사랑하는 정기구독자라면 누구나 가능해요.

Q 명예기자는 어떤 일을 하나요?

'어린이과학동아'의 모니터 요원이자 취재기자, 모델로 활약하는 대표 독자예요.

- 평소에는 '어린이과학동아'를 꼼꼼하게 읽으며 좋았던 점, 고쳐야 할 점을 알려 주는 모니터링 활동을 해요.
- '어린이과학동아'의 기자와 함께 현장에 출동해서 체험도 하고 취재를 해요.
- '어린이과학동아'의 모델로 활동해요. 특집이나 기획 기사에도 참여하지요.
- 기사와 관련된 설문조사가 있을 때 어린이 대표로 의견을 모아 주는 역할도 해요.
- 전국의 명예기자가 모이는 '발대식', 동아사이언스가 주최하는 각종 과학문화 행사 때 초청돼요.

Q 언제 신청하면 되나요?

2009년 10월 1일부터 10월 31일까지 한 달간이에요! (선발 결과는 12월 1일자 '어린이과학동아' 에 실립니다.)

Q 어떻게 신청하면 되나요?

'어린이과학동아' 홈페이지(kids.dongascience.com)의 공지사항 게시판에서 지원서를 내려받아 작성한 뒤, 이메일이나 우편으로 보내 주세요.

이메일 : ashilla@donga.com
주소 : (우)120-715 서울시 서대문구 충정로3가 139번지
동아일보 16층 동아사이언스 어린이과학동아

신청 기간이 얼마 남지 않았어. 서둘러야 해!

와글와글 놀이터

※ 친구들이 보내 준 소중한 엽서의 내용은 2009년 11월 15일자에 실릴 예정입니다. 엽서는 **2009년 11월 1일**까지 보내 주세요.

담당 • 성나해 기자

종알종알 생각터

'어린이과학동아'를 읽고 난 느낌을 친구들과 나눠 보세요. 좋은 점은 칭찬하고, 부족한 점은 따끔하게 꾸짖어 주세요. '어린이과학동아'는 친구들의 사랑과 관심으로 자라나요. 아래는 9월 15일자를 본 친구들의 소감이에요.

kids.dongaScience.com

나만의 주인공을 만들자!

'에볼루션 파크'의 루키를 멋지게 색칠해 보세요. 세상에 둘도 없는 나만의 '어린이과학동아'가 됩니다.

● '완두콩 동물기'에서 우사인 볼트가 치타에 비교되어서 재미있었어요. 우사인 볼트가 얼마나 빠른지 상상이 안 가네요. 그림도 재미있고 특히 마지막 콩이의 대사! 너무 웃겼어요~!
황수연(서울 화계초 4)

● 'KISTI의 과학향기'를 정말 재미있게 봤어요. 제가 만화 속 여자 아이라면 식물을 많이 만들겠어요. 그럼 대기가 깨끗해지지 않을까요? 어쩌면 복제 인간까지도 만들 수 있을지도 모르겠네요~.
박서연(충남 공주 유구초 5)

● 어떻하죠? '에볼루션 파크'의 루션 주니어가 포위되었네요! 설마…, 루션 주니어가 죽는 건 아니겠죠? 지니 일행이 무사히 라이프 코어를 되찾았으면 좋겠어요.
하동훈(서울 우암초 4)

● 특집 기사 '기차의 무한도전'에서 기차가 엄청나게 발전한 모습을 보고 깜짝 놀랐어요. 게다가 일본 자기부상열차가 시속 581㎞를 넘는다니 놀랍네요. 우리나라도 이런 고속열차가 나와서 운행되면 좋겠어요.
남승재(서울 동북초 6)

● 수학 영웅 피코를 보며 '발로 들어간 자, 수학으로 나오리라'라는 말이 무슨 뜻인지 알겠더라구요. 구멍으로 들어간 생물은 수학을 풀어야 나올 수 있다는 뜻이겠죠? 작가님, 앞으로도 재미있는 내용 많이 부탁드려요~!
박은서(서울 수명초 1)

● 7년 동안 잠도 못 주무시고 가족도 만나지 못하며 개발에 열중하신 나로호 과학자 분들의 실망이 클 것 같아 마음이 아파요. 하지만 이번 발사를 경험 삼아 다음 우주 로켓은 멋지게 성공시키세요! 파이팅!
배준한(대전 반석초 3)

● '착하게 입자! 에코패션'을 읽으며 많이 공감할 수 있었어요. 며칠 전에 헌 원피스로 제 동생 치마를 만들어 주었거든요. 저 환경 보호를 잘 실천하고 있는 거죠?
김진은(경기 하남 홈스쿨 13살)

● '최강! 꼴찌전설'에서 최강이 링링의 머리를 푼 걸 앙드레가 고자질한 거 맞죠? 머리는 다시 묶으면 될 텐데, 왜 그렇게 난리였을까요? 그리고 관희가 말한 이상한 기운이 무엇일지 궁금해요.
김태은(경기 구리 백문초 3)

주어진 만화의 다음 장면을 그려서 보내 주세요. 5개의 선정작 가운데 가장 멋진 그림을 만화 작가님께서 직접 뽑아 주시고, 그림에 대한 평도 해 주신답니다. 평소 좋아하던 작가님께 내 그림 솜씨를 뽐내고, 칭찬도 들을 절호의 기회!

이한성 작가님이 뽑은 최고의 그림

눈물이 나는 모습을 보고 흰눈썹 산타 할아버지를 떠올린 상상력이 놀랍네요. 멀리서 썰매를 만들고 있는 써니의 행동도 아주 재미있어요. 전체적으로 색도 깔끔하고 재미있는 그림을 보여 주었어요!

❶ 버키가 산타 할아버지로 변신했어요!
차재웅(서울 홍제초 5)

❷ 버키가 어느 새 여우처럼 씨드를 훔칠 계략을 짜고 있어요. 초록아, 미모에 넘어가지 마! 이지현(경기 김포 고창초 6)

❸ 사실 버키는 여장 남자였어요~. 가발이 벗겨졌는지도 모르고 울고만 있네요! 이지정(서울 사당초 6)

❹ 버키가 너무 울어 버려서 눈물 바다를 이루었네요!
조윤희(경기 안양 샘모루초 5)

❺ 울다가 갑자기 구미호로 변신해서 고래를 유혹하는 버키예요.
김나희 (경기 파주 와동초 6)

2009년 11월 15일 미션

다음 그림에 이어질 장면을 상상해 그려 주세요.

클릭클릭 덧글터

2009년 9월 15일자 우주이슈 '절반의 성공, 나로 호 Why?'와 '마지막 암행어사'에 우리 친구들이 단 덧글이에요. 별표 표시가 된 친구에게는 멋진 선물을 드립니다.

2009년 10월 15일 미션

과학종합미디어-동아사이언스

http://www.dongascience.com/kids

Getting Started Latest Headlines

덧글달기 1 우주 이슈-절반의 성공, 나로 호 Why?

☆ 방학 숙제가 잔뜩 밀렸는데도 엄마를 졸라서 나로 호 발사 장면을 보았어요. 외나로도 우주센터를 직접 가 보려고 했는데 벌써 호텔 예약이 다 차는 바람에 가지 못했거든요. '나로 호 발사 성공'이란 자막이 얼마나 자랑스러웠는지 몰라요. 과학자의 설명을 들어 보니 처음 발사한 위성이 한번에 최종 성공한 나라는 세 나라뿐이래요. 그러니 절반의 성공도 대단한 거예요! 이번 경험으로 나로 호 2가 순수 우리나라 기술로 제작된다고 하더라고요. 나로 호 2의 발사 땐 아빠와 꼭 직접 가기로 했어요. 나로 호 2의 발사 성공을 굳게 기원합니다! (ljh0317)

- 분리되지 않은 페어링 한쪽이 이렇게 심각한 영향을 줄 줄 몰랐어요. 우리나라 기술로 나로 호 2를 만들려면 시간이 오래 걸리겠지만, 그 때는 반드시 성공해서 우리나라의 인공위성을 쏘아 올렸으면 좋겠어요. (dalbitdoyo)
- 나로 호가 분리되지 않은 페어링 한 개 때문에 궤도에 진입하지 못해서 정말 안타까워요. 하지만 순수 우리나라의 기술로 다시 나로 호 2를 쏘아 올릴 수 있다니 자랑스러워요. 세계를 깜짝 놀라게 할 나로 호 2가 정말 기대돼요. 우주 강국 대한민국이 되는 그 날까지 우리나라 파이팅! (jsh605kds)

덧글달기 2 마지막 암행어사 시즌2-신령님의 정체를 밝혀라!

☆ 마지막 암행어사 시즌2는 항상 재밌게 보고 있어요~! 우리 암행어사, 결이의 설명은 언제나 이해하기 쉬워요! 어렸을 때 한번 자격루의 일부분을 봤지만 원리를 몰라 안타까웠는데, 원리를 알려 주셔서 감사해요. 그리고 결이가 사또를 어떻게 응징할지 궁금하네요~! (erstgrim2)

- 학교에서 자격루의 원리를 배워서 알고는 있었지만, 자격루가 이런 일에도 쓰일 줄은 몰랐어요~. 맨 끝에 '과학으로 보답을 해 주는 게 도리에 맞겠지' 라고 한 말이 가장 인상 깊네요. 도대체 어떤 방법으로 사또를 응징할까요? 다음 편이 너무 기대돼요~. *^^* (hyojin1105)
- '저런 사기꾼 같은 사또에게 암행어사가 속다니…!'라고 말하려는데, 역시 암행어사는 넘어가지 않았군요! 전 또 진짜로 속는 줄 알고 걱정했어요. 암행어사가 나쁜 사또를 혼내 주는 장면이 정말 기대돼요~! (yoon042)

2009년 11월 15일 미션

'어린이과학동아' 홈페이지에 들어와 특별기획 '요절복통~, 최고의 이그노벨상을 뽑아라!'와 '수학영웅 피코'에 덧글을 달아 주세요. 재미있는 덧글을 뽑아 선물을 드립니다.

찰칵찰칵 캐릭터

매호 지정된 만화 캐릭터의 표정과 동작을 따라한 모습을 찍어 보내 주세요.
엽서로 보내거나 '어린이과학동아' 홈페이지에 올려 주세요.

사진은
원본 그대로
크게 올려
주세요!

2009년 10월 15일 미션

❶ 끄응~, 우리 이제 어쩌면 좋으냐? 최남일(kr2462)
❷ 삼남매의 멋진 연기 어때요? oksha4
❸ 우리 홈즈호에서 튀어나온 것 같지 않나요? 김건우(sleepy54)
❹ 아빠랑 누나가 총출동했어요~. 김승근(경북 경산 정평초 4)

2009년 11월 15일 미션

'완두콩 동물기' 의 장면을 따라한 모습을
사진 찍어서 보내 주세요.

반짝반짝 소개터

자랑하고 싶은 사람은 모두 모여라! 사진, 만들기 작품, 상장, 내가 만든 홈페이지, 새로 사귄 친구 등 자랑하고 싶은 것이 있다면 무엇이든 자랑해 주세요! 엽서에 적어서 보내거나, '어린이과학동아' 홈페이지에 올려 주세요.

송편 드세요~!

동생이 친구들과 함께 송편을 빚었어요. 울퉁불퉁 생긴 건 안 예뻐도 맛있어 보이죠?
이혜진(dlgwdlgw)

"나는야 어린이 생물학자!"

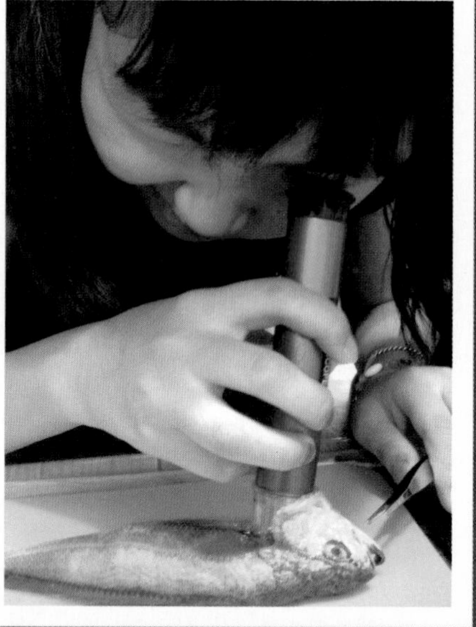

엄마와 함께 생선을 해부해 보았어요. 아가미, 지느러미부터 내장기관까지 꼼꼼하게! 확대경과 현미경을 사용하니 흥미진진했답니다. 최규영(grace311)

난 서커스 단장!

'어린이과학동아' 에서 받은 '피에로와 신나는 서커스' 를 누나와 함께 만들었어요. 진짜 서커스를 하고 있을 것만 같아요~.
김진호(mm7055)

후덜덜~, 뱀 목걸이에요.

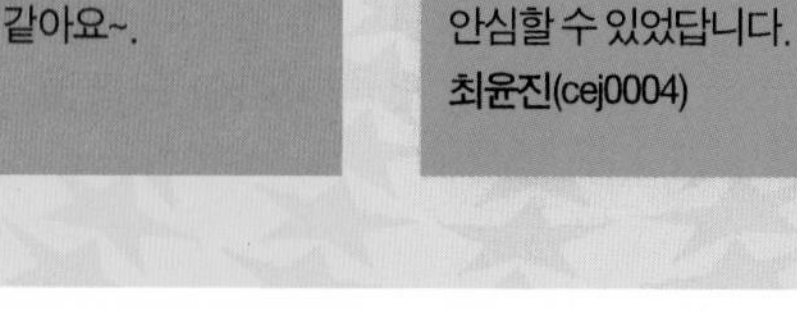

파충류 체험관에서 뱀을 목에 두르고 기념 사진을 찰칵! 무서웠지만 독이 없다고 해서 안심할 수 있었답니다.
최윤진(cej0004)

부글부글 물화산이에요!

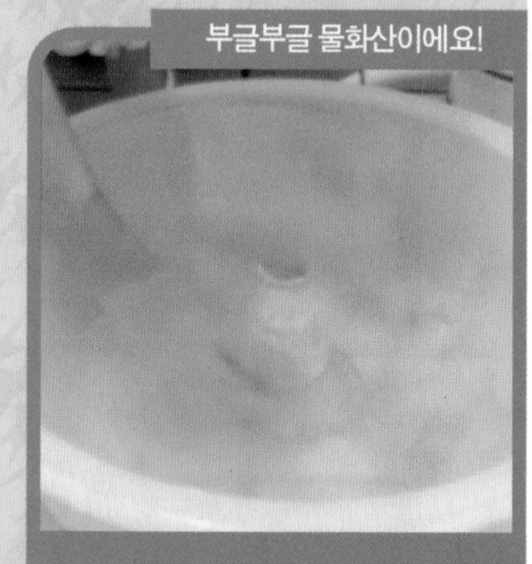

'어린이과학동아' 8월 15일자에 나왔던 물화산 실험을 직접 해 보았어요. 정말 신기했답니다.
최예진(aj0099)

열혈독자 인터뷰

여러분이 보내 준 엽서 가운데 '어린이과학동아'에 대한 사랑이 가장 열렬한 엽서 한 통을 뽑아, 기자가 직접 전화를 걸어 인터뷰를 합니다. 내 엽서도 뽐내고, 인터뷰도 하고, 얼굴도 잡지에 실리는 일석삼조의 기회!

10월 15일자 열혈독자 : 이수민(울산 우정초 5)

지난 호를 마감할 무렵, '어린이과학동아'에 한 통의 엽서가 도착했어요. 왠지 통통해 보이는 엽서를 뜯어 보니, 깜찍한 모양의 알록달록한 열쇠고리가 가득 들어 있지 뭐예요! 알고 보니 열혈독자 이수민 친구가 보낸 정성어린 선물이었답니다.

안녕하세요! 그 열쇠고리는 '어린이과학동아'를 재미있게 만들어 주시는 분들을 위해 제가 만든 거예요. 주말이면 시간을 내서 꼭 무엇인가를 만들곤 하거든요. 더 많이 만들고 싶었는데 재료가 부족했어요. 그래도 예쁘게 봐 주셔서 기뻐요!

'어린이과학동아'에도 직접 만들거나 해보는 활동이 많이 나와요. 수민 친구에게 도움이 되면 좋겠네요. 혹시 기억에 남는 내용이 있나요?

여름방학 특집으로 나왔던 '과학실험 빅3'를 아주 재미있게 보고 나서 사촌동생이랑 같이 해봤어요. 늘 새로운 실험을 알려 주는 '미션 키트맨과 함께 하는 딱과'도 재미있게 보고 있답니다. 제가 늘 '어린이과학동아'를 들고 다니는 바람에 주변의 친구들도 열혈 독자가 다 되었어요!

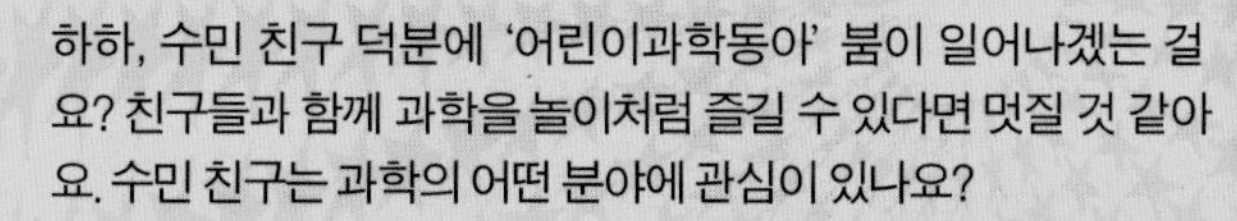

하하, 수민 친구 덕분에 '어린이과학동아' 붐이 일어나겠는 걸요? 친구들과 함께 과학을 놀이처럼 즐길 수 있다면 멋질 것 같아요. 수민 친구는 과학의 어떤 분야에 관심이 있나요?

전 1학년 때부터 늘 약사가 되고 싶었어요. 벌써 생각해 놓은 계획도 있답니다. 주사를 무서워하는 아이들을 위해 반창고처럼 붙이는 주사를 개발하는 거죠. 붙여 놓고 놀다 보면 어느 새 스며들게 말이에요. 멋지죠?

정말 기발한 아이디어네요! 수민 친구가 언젠가 꼭 그런 주사를 개발할 수 있도록 '어린이과학동아'가 응원하고 있을게요~.

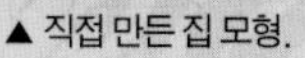

▲ 직접 만든 집 모형.

▶ 수민 친구가 만들어 준 열쇠고리.

선물이 와르르

스콜라스 뜯어만드는세상-
거중기와 수원 화성 (5명)

㈜스콜라스 02-3439-0703
www.scholas.co.kr

동양의 군사 건축 기술이 한 자리에 모여 있다는 평가를 받은 세계 문화 유산 화성! 우리 조상들의 뛰어난 기술과 아름다움을 '뜯어만드는세상- 수원 화성' 을 통해 다시 느껴 보세요. 실학자 정약용이 도르레의 원리를 이용해 발명한 '거중기' 의 과학적 원리를 체험할 수 있는 '뜯어만드는세상-거중기' 도 함께 드려요.

레고 -
소방관 조립 세트(1명)

(주)레고 코리아 080-022-3780

건물을 집어삼킬 듯 이글이글 타오르는 불도 겁낼 필요가 없어요. 최첨단 보호 장비를 갖추고 체계적인 훈련을 받은 소방관이 있으니까요. '어린이과학동아' 친구들도 위험한 화재 현장에서 소중한 생명을 구하는 용감한 소방관이 되고 싶지 않나요? 레고 소방관 조립 세트를 통해 자신만의 멋진 소방 팀을 꾸려 보세요.

스카치 키즈커터와 디자인가위 세트(5명)

한국3M 080-033-4114
www.3m.com/intl/kr

문구와 디자인 용구도 이제는 과학! 안전하게 설계된 인체공학 제품을 한국3M에서 만나 보세요. 안심하고 사용할 수 있는 어린이용 칼인 키즈커터와 손 크기에 관계없이 자유롭게 사용할 수 있는 디자인 가위가 '어린이과학동아' 친구들의 만들기 활동을 더 재미있게 해 줄 거예요.

수리과학창의세트(2명)

포디프레임 02-3474-9224
www.4dframe.com

수학과 과학을 통합해서 생각하고, 그 원리를 이해할 수 있도록 해 주는 수리과학 학습 교구예요. 평면과 입체도형을 응용해서 비행기, 다리, 무동력자동차, 우주선을 만드는 동안 창의력과 상상력이 쑥쑥~ 자라나요!

한생연 4대 테마 과학박물관 무료 관람권(5명)

21세기생명과학문화재단
02-762-5070 www.biom.or.kr

생명과학교육을 이끄는 한생연 4대 테마 과학박물관을 무료로 관람할 수 있는 티켓을 드려요. 다양한 실험도구와 3D 현미경으로 직접 생물을 관찰할 수 있고, 수술실이나 열대 동물을 실제로 둘러볼 수도 있어요. 인체탐구, 마이크로과학, 생명과학, 바이오CP로 이뤄진 4대 박물관에서 생명과학의 미래를 체험해 보세요!

나사 우주비행사 식량(2명)

스페이스 스쿨 02-3477-0933
www.spaceschool.co.kr

스페이스 스쿨에서 우주인이 먹는 특별한 음식을 선물합니다. 영하 30℃에서 꽁꽁 얼려 만든 우주식량의 맛을 경험해 보세요.

신개념 비행완구 공중전기 에어보츠(3명)

대원미디어 1566-7993
www.daewonstyle.com

하늘을 나는 것은 비행기만이 아니에요! 로봇을 날려 친구와 로봇 배틀을 즐길 수 있는 에어보츠가 있으니까요. 본체와 리모컨에 연결되어 있는 줄을 조종하면 멋진 배틀도 내 맘대로! 멋진 비행완구 에어보츠의 주인공이 되어 보세요.

아이찜 스쿨백팩(2명)

(주)씨앤티스 080-470-8311
www.aizim.co.kr

씨앤티스에서 '어린이과학동아' 친구들과 함께 등교할 아이찜 가방을 드려요. 비가 와도 끄떡없는 생활방수소재와 코팅처리된 항균소재로 만들었어요.

와글와글 놀이터 당첨자 명단

레고- 소방관 조립 세트(1명)
이수민(울산 우정초 5)

스콜라스 뜯어만드는세상-거중기와 수원 화성(5명)
남승재(서울 동북초 6)
박서연(충남 공주 유구초 5)
박은서(서울 수명초 1)
하동훈(서울 우암초 4)
황수연(서울 화계초 4)

스카치 키즈커터와 디자인가위 세트(5명)
김나희(경기 파주 와동초 6)
김승근(경북 경산 정평초 4)
배준한(대전 반석초 3)
이지정(서울 사당초 6)
이지현(경기 김포 고창초 6)

나사우주비행사식량(2명)
oksha4
김건우(sleepy54)

한생연 4대 테마박물관 티켓(5명)
김진은(경기 하남 홈스쿨 13살)
김진호(mm7055)
최윤진(cej0004)
최예진(aj0099)
조윤희(경기 안양 샘모루초 5)

아이찜 스쿨백팩(2명)
최규영(grace311)
최남일(kr2462)

수리과학 창의 세트(2명)
김태은(경기 구리 백문초 3)
이혜진(dlgwdlgw)

대원 공중전기 에어보츠(3명)
erstgrim2
ljh0317
차재웅(서울 홍제초 5)

아이디로 당첨된 친구는 snh0109@donga.com으로 이름, 주소, 전화번호, 우편번호를 보내 주세요!

★힘 냅시다! 기자 이화영 talkto@donga.com ★첨단 농업을 취재하면서 농촌진흥청의 많은 분들의 도움을 받았습니다. 감사 드립니다. 기자 성나해 snh0109@donga.com ★"…그러나 우리가 가장 먼저 기억해야 할 것은 내가 지금의 나로서 존재하기 위해 타인에게 져야만 했던 슬픔의 빚이다. 생각해 보라. 형이상학적이고 초월적인 존재의 근거를 말하기 전에, 우리는 모두 80년대 광주에 빚진 사람이다.(김상봉)" …내가, 내 슬픔의 빚에 대해 생각해 본 게 대체 언제더라. 기자 윤신영 ashilla@donga.com ★어째 일을 할 때마다 입사 이래 최대의 위기! 으아악~, 벗어나고파! 기자 김맑아 maki@donga.com ★엄마, 아빠~! 추석 때 못가서 미안! 디자이너 황은지 hej281@donga .com ★ 우리 동네 길고양이 녀석들 몇몇이 며칠째 보이질 않는다. 불안하다. 아트디렉터 채홍석 popeye@donga .com ★청명한 가을 날, 숲은 단풍으로 물들고 들녘은 황금물결로 넘실거립니다. 우리 친구들은 이 가을을 어떻게 보내고 있나요? 혹시 신종 플루 때문에 나들이가 줄었다고 아쉬워하고 있진 않나요? 이럴 때 아쉬워하는 대신 모처럼 독서의 계절을 만끽해 보면 어떨까요? 좋은 책은 우리 친구들의 머리와 마음을 살찌우게 해 주는 좋은 양식이랍니다. 좋은 양식으로 '어린이과학동아'도 꼭 빼놓지 마세요! 에효~. 저도 마감 끝나면 좋은 책에 푹~ 파묻히고 싶어요! 편집장 고선아 sunnyk@donga.com

웃기는 과학, 똑똑한 만화!

어린이 과학동아

2009/11/1 21

kids.dongascience.com

담당 • 이화영 기자

만점배지 6개를 모으면!
5만 원 상당의 과학완구류, 곤충기르기 세트 중 선택.

만점배지 12개를 모으면!
10만 원 상당의 과학완구류, mp3 플레이어 중 선택.

만점배지 18개를 모으면!
30만 원 상당의 과학완구류, 디지털 카메라 중 선택.

만점배지 24개를 모으면!
80만 원 상당의 천체망원경.

* 지금까지의 올백사이언스 만점자와 올백사이언스 전국 등수는 '어린이과학동아' 홈페이지(kids.dongascience.com)에서 확인할 수 있습니다.
* 인기있는 상품의 경우 조기에 품절될 수 있습니다. 만점배지를 모아 선물을 받으면 처음부터 다시 만점배지를 모아야 하며, 이후에는 이미 받은 선물보다 높은 단계의 선물만 받을 수 있습니다.
* 만점배지를 선물로 교환하고자 할 때는 담당자 02-3148-0820, talkto@donga.com으로 연락하세요.
* 상품을 받을 때 제세공과금은 별도로 납부하셔야 합니다.
* 한 번 과학짱이 된 친구는 만점배지를 다시 모을 수 있지만 각 배지에 해당하는 선물은 받을 수 없습니다.
* 만점배지는 책과 따로 배송됩니다.

이름	학교	학년	만점배지	개수	이름	학교	학년	만점배지	개수
고범규	청운초	5		× 23	정원준	송정초	6		× 1
김보나	신창초	6		× 1	정한겸	중대초	5		× 4
김연수	영통초	5		× 1	조민준	대명초	3		× 23
김채호	시화중	2		× 1	조민철	대명초	5		× 23
박시연	당리초	3		× 1	천용우	상률초	3		× 8
신동근	토당초	4		× 9	최선우	백마초	3		× 11
윤관형	성라초	5		× 8	최이주	신구중	3		× 17
이지정	사당초	6		× 11	하태경	신흥초	5		× 8
이진우	무원초	4		× 23	함희원	거진초	5		× 20
임호준	월산초	2		× 9	허유진	서당초	5		× 1
장성우	봉산초	4		× 21					

제 112회 올백사이언스 문제

1. '최강! 꼴찌전설'의 주인공들이 이야기를 나누고 있어요. 맞는 말을 하는 주인공을 모두 고르세요.

① 최강 : 기체, 액체, 고체의 분자는 모두 같은 모습과 구조를 하고 있어.
② 허루미 : 고체나 액체보다 기체 상태에서 분자의 움직임이 가장 활발해.
③ 황태준 : 액체 상태인 물감이 기체가 되어 날아가는 현상은 기화로 설명할 수 있어.
④ 고관희 : 추운 겨울날 창문에는 수증기가 물이 되어 맺히는데, 이 현상은 승화야.
⑤ 링링 : 뜨거운 곳에 둔 초콜릿이 녹는 것은 초콜릿에 응고가 일어났기 때문이야.

2. 이그노벨상에 대한 설명 중 맞는 것을 모두 고르세요.

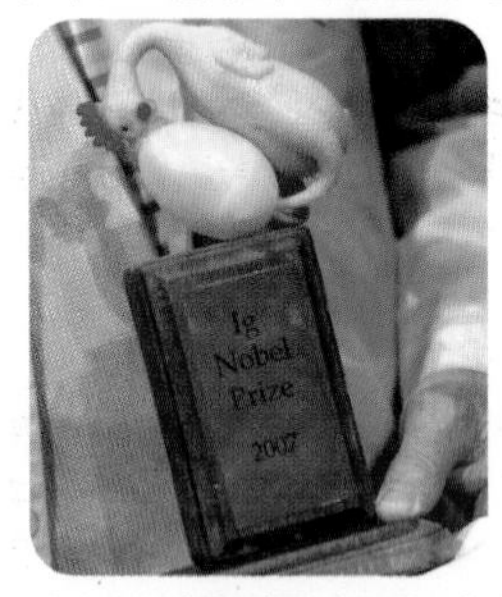

① 이그노벨상은 미국 스탠퍼드 대학교 과학잡지 '기발한 연구연보'가 만든 상이다.
② 매년 노벨상 시상식이 열리기 전에 희한하고 엽기적인 연구를 뽑아 상을 줘서 '엽기 노벨상'이라고도 한다.
③ 독일, 헝가리, 핀란드의 과학자들로 구성된 연구팀은 펭귄이 똥을 누는 것을 연구해 2005년 유체역학상을 받았다.
④ 일본 국제의학센터 야마모토 마유 박사는 아이스크림을 만드는 주요 원료로 사용되는 바닐라맛 향료인 '바닐린'을 소똥에서 뽑아 내어 2007년 이그노벨상 화학상을 받았다.
⑤ 프랑스 툴루즈 국립수의대학교의 연구 결과에 따르면 고양이의 벼룩은 개의 벼룩보다 20㎝ 더 높이 뛴다고 한다.

3. 유리조형연구소를 다녀온 명예기자 한미와 나연이가 이야기를 하고 있어요. 잘못된 것을 모두 고르세요.

① 한미 : 블로잉 기법은 뜨거워진 유리에 불대로 공기를 불어넣어 유리의 모양을 만드는 기법이야.
② 나연 : 고체인 유리가 물엿처럼 녹기 위해서는 최소 900℃ 이상의 열이 필요해.
③ 한미 : 유리 조형은 유리에 열을 가해 형태를 만드는 예술이야.
④ 나연 : 토치는 LNG가스와 액화산소를 연료로 불을 내뿜는 기구로, 1300℃까지 온도를 높일 수 있어.
⑤ 한미 : 붕규산 유리는 보통 유리에 비해 녹는점이 200~300℃ 정도 낮아서 열에 강해.

4. 에볼루션 파크의 주인공들이 이야기를 나누고 있어요. 맞는 말을 하는 주인공을 모두 고르세요.

① 루션 박사 : 고양이는 높은 데서 떨어질 때 힘을 쓰는 근육이 튼튼하고 평형감각도 뛰어나지.
② 위니 : 겉씨식물의 대표적인 예가 사과나 무야.
③ 지니 : 원시 양치식물과 이끼류는 고생대 이전에는 물 속에서 살았어.
④ 애니 : 최초로 지상에 올라온 식물들은 쿡소니아, 리니아, 프실로피톤 등이야.
⑤ 토마스 : 고사리는 암술과 수술을 통해 씨앗을 만들어 번식해.

5. 바이러스 가족이 신종플루 예방법에 대해 이야기하고 있어요. 맞는 말을 하는 바이러스를 모두 고르세요.

① 담배모자이크 바이러스 : 병을 일으키는 미생물은 크게 세균과 바이러스, 박테리아 이렇게 세 가지로 나뉘어.
② 인플루엔자 : 신종 인플루엔자A는 바이러스에 의해 전염되는 병이지.
③ 아데노 바이러스 : 바이러스와 세균은 호흡기를 통해서만 감염되기 때문에 공공장소에서 손으로 물건을 만지는 것으로는 신종 플루에 걸리지 않아.
④ HIV : 손을 씻으면 비누의 항균 성분이 바이러스를 죽이기 때문에 신종 플루를 예방할 수 있는 거야.
⑤ 간염 바이러스 : N95나 KF99와 같이 미국이나 우리나라의 기관에서 인증 받은 마스크는 0.6㎜ 크기의 고체 입자를 94~95% 막을 수 있어.

6. 다음 설명 중 잘못된 것을 모두 고르세요.

① 몸의 기관 중 하나인 '결장' 속에는 큰 창자 안에서 보호막 역할을 하는 액체를 내보내는 '창자샘'이 있다.

② 모터의 축을 돌리기 위한 회전력을 '토크'라고 부른다.
③ 화성은 지구 바깥에 있기 때문에 목성형 행성으로 분류된다. 따라서 지각이 없고 내부에는 기체로 된 바다가 있다.
④ 전나무 잎을 가로로 잘라 보면 물과 공기가 지나다니는 기공이 잎 한가운데에, 영양분이 이동하는 잎맥이 잎 가장자리에 있다.
⑤ 작은 창자를 얇게 잘라 전자현미경으로 관찰하면 영양소를 배출하는 역할을 하는 '작은창자샘'을 볼 수 있다.

7. 미생물 전지에 대한 설명 중 맞는 것을 모두 고르세요.

① 미생물 연료전지로 농업 폐수를 처리하면 처리 비용을 줄일 수 있다.
② 음극에서는 미생물이 유기물을 분해하면서 수소 이온과 전자를 만들어 낸다.
③ 수소 이온은 양이온 교환막을 통해 양극으로 이동한다.
④ 양극에는 수소가 공급된다.
⑤ 처음에는 미항공우주국에서 우주인들의 생활하수를 처리하기 위해 개발했다.

8. 다음 설명 중 잘못된 것을 모두 고르세요.

① 식물 공장도 꼭 봄에 모를 심고 가을에만 수확한다.
② 식물 공장에서는 작물이 크면서 차지하는 면적이 조금씩 넓어진다.
③ LED 인공광 장치는 빛의 파장을 골라서 쪼여 줄 수 있다.
④ 로봇 농민은 일손을 덜어 주고 친환경적인 농업을 할 수 있게 해 준다.
⑤ 식물에서 뽑아낸 의료용 단백질은 사람에게 옮길 수 있는 바이러스의 위험이 있다.

9. **초과뒤 문제** '어린이과학동아' 기자들이 교통 수단에 대해 이야기하고 있어요. 잘못된 말을 하는 기자를 모두 고르세요.

① 이화영 기자 : 바퀴가 언제 처음 발명됐는지는 정확히 알 수 없어. 다만 가장 오래된 바퀴는 기원전 3500년 경의 메소포타미아 유적에서 발견된 전차용 바퀴지.
② 성나해 기자 : 가마는 우리나라의 전통 교통 수단이야. 가마는 사람의 신분이나 쓰임새에 따라 종류가 달랐는데, 평민들이 쓰던 가마에는 '연'과 '덩'이 있어.
③ 윤신영 기자 : 증기 기관은 1705년 영국의 발명가 토머스 에디슨이 처음 만들었지.
④ 김맑아 기자 : 초기의 전기 자동차는 납축전지를 충전하는 데 시간이 오래 걸렸고, 한 번 충전으로 운행할 수 있는 거리가 짧고 속력도 느렸어.
⑤ 고선아 기자 : 연료와 공기 중의 산소를 연소시켜 가스로 만든 뒤, 특수한 장치를 통해 가스를 뒤쪽으로 내뿜는 가솔린 엔진은 비행기에서 프로펠러가 필요 없을 만큼 엄청난 힘을 낼 수 있었어.

10. **초과뒤 문제** 다음 중 맞는 설명을 모두 고르세요.

① 기차에 안전띠가 없는 이유는, 자동차나 비행기와 달리 기차는 철로 위를 달리고 있어서 자신보다 질량이 큰 물체와 충돌할 확률이 아주 낮기 때문이다.
② 하이브리드 자동차는 하나의 에너지원을 이용해 환경오염이 적도록 개발한 자동차를 말한다.
③ 호버크라프트는 선체 밑으로 압축된 공기를 내뿜어, 물 위에서는 뜰 수 있지만 울퉁불퉁한 땅 위에서는 뜨지 못한다.
④ 자기부상열차는 전기가 아주 잘 통하는 금속으로 코일을 감아 만든 전자석인 초전도 자석을 이용한다.
⑤ 수중익선은 배 위쪽에 날개가 달려 있어서 이 날개가 물 위에서 큰 양력을 일으켜 배를 띄운다.

100

STAEDTLER yellow pen

맞았나 틀렸나 확인해 볼까요?

1. 정답은 '②, ④' 입니다.
최초로 현대적인 증기기관을 발명한 제임스 와트는 스코틀랜드 사람이었어요. 또 100% 전기로 달리는 전기기관차는 누리로 호랍니다.

2. 정답은 '③, ④, ⑤' 입니다.
유넵은 '유엔환경계획'의 약자예요. 유넵 튠자 어린이·청소년 환경회의는 어린이와 청소년이 주인공인 회의지요. '튠자'는 아프리카 스와힐리어로 '사랑으로 대한다'는 뜻이에요.

3. 정답은 '②, ③, ⑤' 입니다.
헌 옷을 재활용해도 자투리천이 나올 수 있지만, 어차피 쓰레기가 될 헌 옷을 다시 이용하기 때문에 전체적으로 환경에 도움이 돼요. 또 새 옷감의 양을 줄일 수 있다는 장점도 있지요. 옷감을 만들 때 보통 15% 정도는 자투리천이 돼요. 자투리천은 버려지기 때문에 적게 나올수록 좋아요. 영국의 패션디자이너 마크 리우는 옷감 한 장을 모두 이용해 옷을 만들었고, 자투리천을 모아 새 옷을 만든 작가도 있답니다.

4. 정답은 '③, ④' 입니다.
나로 호 발사에 대한 최종 결정은 나로우주센터의 발사지휘센터가 내려요. 음속을 돌파한다는 것은 소리가 전달되는 속도보다 비행 속도가 빠르다는 것이지 대기권을 돌파했다는 건 아니랍니다. 대기권을 돌파해 우주로 비행을 시작했다고 보는 시점은 고도 100㎞ 이상을 지난 것으로, 이번 나로 호는 발사 2분 43초 뒤에 이뤄졌어요.

5. 정답은 '③, ④' 입니다.
나로 호의 연료인 케로신은 등유의 일종이에요. 또 발사 뒤에는 약 25초간 수직으로 날다가 남쪽으로 방향을 바꿔 1단 로켓을 필리핀 앞바다에 떨어뜨리지요.

6. 정답은 '②, ③, ④' 입니다.
나로 호는 원래 나로 호 자체의 추진력과 무게 중심의 방향이 같게 설계돼 위성이 초속 8㎞로 궤도를 돌 수 있게 밀어 주도록 돼 있었어요. 또 나로 호Ⅱ는 순수 우리나라 기술로 만들 대형 발사체로, 2018년 쏠 예정이랍니다.

7. 정답은 '④' 입니다.
아기도 심혈관계 질환자, 임신부와 함께 고위험군에 포함된답니다.

8. 정답은 '②, ⑤' 입니다.
조류 독감이 종종 동남아에서 발생하고 있기 때문에 신종 인플루엔자 바이러스와 만나 변이될 가능성을 배제할 수 없어요. 바이러스가 세포에서 떨어져 나오게 하는 단백질은 N이에요. 항바이러스제는 초기 증상이 나타난지 48시간 안에 먹어야 효과를 볼 수 있지요.

9. 정답은 '①, ②, ④' 입니다.
만물의 근원을 공기라고 한 사람은 아낙시만드로스의 제자인 아낙시메네스에요. 또 이데아이론을 펼친 건 플라톤이랍니다.

10. 정답은 '①, ③' 입니다.
로켓 발사의 원리는 뉴턴의 운동법칙 중 제3법칙, 작용 반작용의 법칙으로 설명할 수 있어요. 18세기 프랑스에서부터 과학이 전문 분야가 되었지요. 상대성이론에 따르면 움직이는 물체 안에서 시간은 느리게 흐르고, 그 안에 정지해 있는 물체의 길이를 재면 짧아진답니다.

보내는 사람 (남 • 여)

학교 학년

전화 또는 휴대전화( )

주소

□□□-□□□

웃기는 과학, 똑똑한 만화!

어린이 과학동아

2009/10/15

우편요금 수취인후납부담

발송유효기간 2008. 10. 1~2010. 9. 30

광화문 우체국 제3148호

받는사람

서울특별시 광화문우체국 사서함 1806호

(주)동아사이언스

110-618

kids.dongaScience.com

● 'Go Go! 홈즈호'에서 해결해 줬으면 하는 질문을 적어 주세요.

● '반짝반짝 소개터'에 자랑하고 싶은 것을 소개해 주세요.

● '종알종알 생각터' 20호(2009년 10월 15일자)를 본 소감을 적어 주세요.

kids.dongaScience.com

여기에 풀을 칠하세요.(스테이플러는 쓰지 말아 주세요.)

ALL 100 SCIENCE 올백사이언스

제 112 회

올백사이언스 답안지

1	①	②	③	④	⑤
2	①	②	③	④	⑤
3	①	②	③	④	⑤
4	①	②	③	④	⑤
5	①	②	③	④	⑤
6	①	②	③	④	⑤
7	①	②	③	④	⑤
8	①	②	③	④	⑤
9	①	②	③	④	⑤
10	①	②	③	④	⑤

●'쓱싹쓱싹 그림터' 다음 만화에 이어질 그림을 그려 주세요.

이번 호 엽서는 2009년 11월 1일까지 보내 주세요. 당첨자는 2009년 22호(2009년 11월 15일자)에 발표됩니다.

아래의 빈 칸에 그림에 대한 설명을 간단히 적어 주세요.

●이번 호에서 가장 재미있게 본 만화 3개를 골라 V표 해 주세요.

☐ 에볼루션 파크 ☐ 완두콩 동물기 ☐ Go, Go! 홈즈호
☐ 수학영웅 피코 ☐ 최강! 꼴찌전설 ☐ 지구 최후의 로봇, 씨드
☐ 모모의 핵융합이 궁금해 ☐ 마지막 암행어사 시즌2

●이번 호에서 가장 유익하게 읽은 기사 2개를 골라 V표 해 주세요.

☐ 특집–판타스틱! 2009 첨단 농업 쇼
☐ 특별기획–요절복통~, 최고의 이그노벨상을 뽑아라!
☐ 이슈–신종 플루 없이 건강하게! ① 바이러스를 막아라!
☐ 과학뉴스–느낌으로 안다?
☐ 진기명기–유리의 놀라운 변신
☐ 미션키트맨과 함께하는 딱과–자나 깨나 불조심!
☐ 화보–알쏭달쏭~ 현미경 속 작은 세상

●'찰칵찰칵 캐릭터'의 사연을 적어 주세요.

이번 호 주제 | 완두콩 동물기

옆의 그림을 따라해 찍은 사진을 엽서에 넣고 잘 붙여서 보내 주세요.
디카로 찍은 사진은 '어린이과학동아' 홈페이지에 올리면 됩니다.

● '열혈독자 인터뷰'에 소개할 사연을 적어 주세요.

정기 구독 신청 및 문의
●본사/(02)6749–2002, 온라인 신청/인터넷(kids.dongascience.com)
●동아일보 출판지사 신청 서울 인천 경기(02)721–7800, 부산 울산 경남(051)463–7851~5, 대구 경북(053)253–7663~4, 광주 전남(062)676–6116, 전북(063)253–3996, 대전 충남(042)253–0008, 충북 (043)254–2911, 춘천 원주 영서 강릉 영동(02)721–7800, 제주(064)757–1995

기사 내용 문의
●기사의 내용에 대한 문의는 편집실로 전화해 주십시오.
●어린이과학동아 편집실 : (02)3148–0825~6